QUE SAIS-JE ?

La garde des jeunes enfants

JACQUES DESIGAUX
Psychologue
Président du Groupe de Recherche et d'Action pour la Petite Enfance (Rhône-Alpes)

AMÉDÉE THÉVENET
Directeur départemental des Affaires Sanitaires et Sociales

DES MÊMES AUTEURS

Faire garder son enfant : les assistantes maternelles, Guide pratique ESF (2e éd.).

Les assistantes maternelles, Editions ESF, 1980.

De Jacques DESIGAUX

Les mini-crèches roannaises. Phénomène social, Editions Horvath, 1979.

D'Amédée THÉVENET

L'aide sociale d'aujourd'hui, Editions ESF, 4e éd., 1980.

L'aide sociale en France, PUF, « Que sais-je » ?, n° 1512 (3e éd., 1980).

ISBN 2 13 037430 1

Dépôt légal — 1re édition : 1982, août

108, boulevard Saint-Germain, 75006 Paris

INTRODUCTION

La garde des jeunes enfants : une question toute simple et quotidienne que rencontrent tous les parents. Quand on vient de mettre au monde un jeune enfant, on ne peut le laisser seul, puisqu'il est de fait dépendant du monde adulte pour sa nourriture, les conditions de son sommeil, son hygiène, sa santé et son développement.

Question toute simple qui se pose une première fois en termes de : « Où est-ce que je vais le ou la « mettre » pendant que je... fais mes courses, travaille... vais au cinéma ou à l'enterrement de ma tante... », et qui va se compliquer très vite quand on va s'apercevoir que ces « lieux où on va le/la mettre » sont rares, plus ou moins coûteux, plus ou moins accueillants, qu'ils nous plaisent plus ou moins... et donc qu'on n'attend pas seulement d'eux que l'enfant soit « gardé ».

En effet :

— On veut se sentir proche du ou des adultes qui s'occuperont de lui; ou on les veut très expérimentés, ou très compétents. On veut qu'ils nous remplacent au mieux en notre absence, ou bien on veut qu'ils ne nous remplacent pas du tout mais soient pour l'enfant l'occasion d'une expérience différente de celle qu'il a avec nous; la question n'est déjà plus : « Où le mettre ? », mais : « A qui le confier ? »

— On craint l'accident, les ennuis de santé, et la question devient : « Quelles garanties médicales pourrai-je avoir ? »

— On souhaite que l'enfant retrouve son univers familier, qu'il ne soit pas « dépaysé », ou bien on souhaite qu'il bénéficie d'un cadre spécialement adapté à son âge; ou bien on tient à ce qu'il ait de l'espace et de la verdure... et la question devient : « Dans quel cadre, dans quels locaux va-t-il vivre ? »

— On souhaite que par ces moments de « garde », l'enfant s'éveille au plus tôt, on veut lui donner dès le départ de bonnes habitudes, on tient à lui épargner à cet âge les difficultés qu'il n'aura que trop l'occasion de rencontrer plus tard ; c'est : « Quelle pédagogie va-t-on choisir ? »

— On n'aime pas le laisser, ou bien au contraire on ne supporte plus d'être avec lui 24 heures sur 24. On refait alors son budget, et la question devient : « Travailler ou ne pas travailler à l'extérieur de chez soi ? »

— Alors on en parle en couple; l'un se range ou ne se range pas à l'avis de l'autre : c'est un problème conjugal.

— Souvent on se voit fermer la porte de la crèche du quartier qui n'a plus de place, et la question est : « Pourquoi y a-t-il si peu d'équipements ? »

— C'est alors qu'on reçoit la visite postnatale de l'assistante sociale de Protection Maternelle et Infantile (PMI) de la Direction des Affaires sanitaires et sociales (DASS), et la question devient : « A quel contrôle et à quelles normes suis-je soumis ? Quelles « aides » m'octroie-t-on ou me refuse-t-on, et pourquoi ? La garde de mon enfant n'est donc pas qu'un problème privé ? »

Et voilà qu'entre en scène la cohorte des spécialistes qui s'opposent et se soutiennent : travailleurs sociaux, médecins et puériculteurs, psychologues, psychanalystes, sociologues, conseillers conjugaux et maintenant même historiens et ethnologues, grands amateurs savants de la vie quotidienne, pendant que les politologues et les idéologues de tout poil discutent et proposent la « solution » au « problème » de la garde d'enfant, que les juges jugent des bons et des mauvais parents pour protéger l'enfant, et que les administrateurs administrent institutions, équipements et services spécialisés porteurs de sigles de plus en plus nombreux.

Il se trouve même des « spécialistes » qui sont aussi parents et qui dénoncent savamment cette invasion des spécialistes dans un domaine où chacun (y compris eux-mêmes), partant d'une question simple — « comment faire garder mon enfant ? » — se trouve confronté à un univers si complexe qu'il doit trouver en tâtonnant une solution qui ne peut le satisfaire totalement.

L'état actuel de la question ne permet certainement pas à de jeunes parents de trouver aisément une solution qui les satisfasse : nous saurons vite pourquoi. Tout au plus permet-il de mieux cerner les enjeux d'un domaine qui évolue très vite, et d'en entrevoir la dynamique et les contradictions. Mais surtout il permet de lire dans une des pratiques de la vie quotidienne une question simple devenue un problème symptomatique des inquiétudes contemporaines.

Qui est concerné ?

A) *Les enfants.* — Il naît environ 800 000 enfants en France chaque année. C'est bien d'eux qu'il s'agit au premier chef. Surtout si l'on considère qu'un sur trois est gardé, à temps plein ou à temps partiel, par une autre personne que sa mère.

Mais il s'agit aussi, d'une façon indissociable, des adultes qui les entourent :

Si l'on veut étudier en toute rigueur un aspect déterminant du mode de vie des jeunes enfants, on ne peut s'appuyer raisonnablement sur leurs expressions. Leurs cris mêmes, leur boulimie ou leur anorexie, leur manque de sommeil, leurs « retards de développement » ne prennent sens que dans le discours des adultes. Si l'on s'attarde sur le « langage » préverbal du jeune enfant, il nous faut reconnaître que le sens de ce langage est verbalisé par l'adulte, et en des termes qui peuvent être différents selon les personnes et selon les époques. Par exemple telle faim d'un enfant, manifestée par des cris, peut être pour sa mère un appel qu'elle aura plaisir à satisfaire.

Pour un médecin formé au temps de la mode des bébés dodus, c'est le signe d'un heureux fonctionnement de cet enfant.

Pour un autre médecin, qui se réfère à d'autres normes, c'est une boulimie inquiétante qu'il faut tromper ou contrarier.

Pour un psychologue inquiet, c'est le signe d'une anxiété pathologique, et, pour son confrère optimiste, c'est la simple manifestation précoce d'un trait de caractère qui pourra ou non se modifier, au besoin grâce à son intervention.

Dans ce contexte, une approche en termes purs d' « intérêt de l'enfant » ne peut être qu'un leurre, et une analyse de la situation de l'enfant concerné ne peut que passer par une analyse du point de vue des adultes qui participent à cette situation, y compris par le discours théorique. Dès lors, les personnes concernées par la garde des enfants sont les enfants eux-mêmes, mais bien aussi tous ceux qui les entourent.

B) *Les parents.* — Ils sont placés, en ce qui concerne la garde de leurs enfants, dans une situation paradoxale.

I) D'une certaine façon, ils sont censés assumer totalement l'éducation des jeunes enfants qu'ils ont mis au monde :

Si la loi fait obligation de scolarité à partir de 6 ans, il est maintenant communément admis que la scolarité doit commencer avant : l'éducation des grands enfants est légalement partagée entre les interventions de la société par les services de l'Education nationale, et les interventions des parents (ou des personnes mandatées par eux). Pour les plus jeunes, les parents sont censés *choisir* le mode de vie qui leur convient : mère au foyer qui s'occupe elle-même de ses enfants, vie partagée avec d'autres membres de la famille, fréquentation de crèches, nourrices, haltes-garderies...

II) Dans le même temps, l'éducation qu'ils donnent à leurs jeunes enfants est strictement encadrée, de trois façons :

— *Ouvertement :* Toute une législation et une réglementation se sont développées pour contrôler la manière dont les parents s'occupent de leurs jeunes enfants : depuis les visites prénatales indispensables pour ouvrir droit aux allocations familiales jusqu'aux visites postnatales obligatoires du service de PMI, en passant par la réglementation des lieux de garde des enfants de moins de 3 ans, y compris les assistantes maternelles qui doivent être « agréées » par la PMI dès lors qu'elles reçoivent un enfant pendant plus de huit jours.

— *D'une façon plus sournoise,* à travers les médias et les ouvrages donneurs de « bons » conseils, qui, sous couvert d'enseigner aux jeunes parents la meilleure manière de s'occuper de leurs enfants, leur apprennent, mode après mode, à rejeter d'anciennes manières de faire et à demander constamment conseil aux spécialistes (médecins, psychologues, travailleurs sociaux, enseignants...).

— *Enfin par le jeu des financements :* Le coût total de la garde d'enfants étant élevé, la collectivité se doit d'y participer, et donc de faire des choix qui sont contraignants pour les parents : choix de favoriser financièrement la garde par la mère au foyer, ou par des assistantes maternelles, ou dans des lieux collectifs.

C) *Les médecins.* — Ils sont amenés à intervenir lorsque la santé, l'équilibre ou le bon développement d'un enfant sont menacés.

Mais aussi, par leur position sociale et le symbole du savoir qu'ils représentent, ils sont le plus souvent pourvoyeurs de la *sécurité* dont les jeunes parents (et les agents des professions paramédicales) ont besoin, lorsqu'ils sont confrontés à l'angoisse qu'engendrent les interventions auprès d'un être fragile et totalement dépendant des faits et gestes des adultes.

Enfin, leur place dans les services de PMI les amène à contrôler ce qui se passe dans tous les lieux de garde officiels autres que la famille (crèches, haltes-garderies, assistantes maternelles, pouponnières).

D) *Les « professionnels de la petite enfance ».* — Nous regroupons sous ce titre l'ensemble des personnes dont la profession est de s'occuper des jeunes enfants en l'absence de leurs parents. Mais ce titre recouvre des catégories nombreuses et diverses, ayant chacune leur formation propre, leur statut, leur approche de l'enfant et leur rémunération

Il est assez remarquable que, dans les équipements spécialisés dans l'accueil des jeunes enfants, on ne rencontre aucune personne dont le métier consiste à prendre en charge l'ensemble de la vie de l'enfant dans l'équipement : soins, santé, éveil, éducation, surveillance et relations avec ses parents. Lorsqu'un équipement choisit de confier à chaque membre du personnel l'ensemble de ces préoccupations et des tâches correspondantes, il doit faire fi des formations différentes et dépasser les spécialisations professionnelles.

La caractéristique commune de ces professionnels, de l'assistante maternelle à la puéricultrice, en passant par l'auxiliaire de puériculture et l'éducatrice de jeunes enfants, est de vivre avec l'enfant quand ses parents sont absents.

Mais les références idéologiques de ces professionnels sont assez diverses : de la substitution familiale et ménagère qui prédomine chez l'assistante maternelle, on peut passer à l'idéologie médicalisée de l'hygiène, à des degrés divers, chez la puéricultrice et l'auxiliaire de puériculture, ou, chez l'éducatrice de jeunes enfants, à l'univers de la pédagogie — soit à dominante préscolaire, soit à dominante psychopédagogique.

E) *Les travailleurs sociaux.* — Surtout les assistantes sociales, mais aussi les puéricultrices des services de PMI et les animateurs des centres sociaux qui interviennent auprès des jeunes enfants au titre de leur fonction directe ou lointaine de prévention des inadaptations chez l'enfant.

La fonction de surveillance, ou d'aide préventive, est surtout exercée par la PMI. Elle inclut, dans les cas limites, une fonction de contrôle dont l'exercice peut être à l'origine de placements d'enfants dont la santé ou le développement seraient compromis dans leur milieu familial.

Enfin, là où le travailleur social a fonction d'animation des quartiers, il intervient souvent d'une façon privilégiée auprès de ceux qui vivent dans les quartiers pendant la journée, et rencontre donc tout particulièrement les mères de jeunes enfants qui vivent au foyer, et les assistantes maternelles.

F) *Les institutions :* DASS, Municipalités, Caisses d'Allocations familiales. — Nous regroupons ici les institutions qui interviennent par le biais des financements : soit le financement des équipements (DASS), soit les aides individualisées aux parents qui font garder leurs enfants (CAF). Les élus et les salariés qui participent à ces institutions, bien qu'ils vivent à une distance certaine de la quotidienneté pédagogique, ont un rôle déterminant pour la vie des jeunes enfants et de leurs parents.

Comme dans l'ensemble du secteur éducatif et social, les préoccupations financières sont souvent mises à distance lorsqu'il s'agit de l'éducation des jeunes enfants, comme si elles ne devaient pas intervenir dans un domaine qui se voudrait de l'ordre du gratuit.

Les choix qui sont faits sont pourtant révélateurs des jeux du pouvoir réel qui entoure les enfants et leurs parents, pour peu qu'on aille au-delà des présentations simplistes données de part et d'autre pour maintenir les rapports de force en l'état :

— du côté des financeurs, la mise en avant des sommes « considérables » investies dans la garde des enfants;
— du côté des utilisateurs, la mise en avant des profondes insuffisances — en quantité et en qualité — des équipements existants.

*
* *

La question : « Où faire garder son enfant ? » a donc différentes facettes.

La réponse à cette question va mettre en jeu des partenaires nombreux et des systèmes complexes, ce qui explique que la réponse trouvée dans la pratique soit le plus souvent de l'ordre du « système D », qui donne des résultats très inégaux — des meilleurs aux pires.

Nous allons donc analyser les enjeux de la garde des enfants dans la première partie de cet ouvrage, après quoi nous en aborderons les aspects pratiques sur les plans législatif, médico-social, psychologique et financier.

PREMIÈRE PARTIE

LES ENJEUX

CHAPITRE PREMIER

LES STATUTS INTRAFAMILIAUX

Si la garde des jeunes enfants est devenue en tant que telle un « problème », c'est que le statut social du jeune enfant a changé : les soins qu'il nécessite ont fait partie des tâches ménagères, au même titre que la cuisine, le ménage et la vaisselle — tâches effectuées naguère par la mère de famille dans les classes laborieuses et par des femmes domestiques dans les milieux plus fortunés.

La modification du statut du jeune enfant et la modification des tâches ménagères sont concomitantes. Il en va du statut de la femme, sa mère ou sa nourrice : comprendre la genèse de la question de la garde d'enfants oblige donc à re-situer l'évolution du statut de la femme dans la famille.
Philippe Ariès a révélé la genèse progressive au cours des siècles d'un sentiment de l'enfance, et la relativité historique du modèle familial que l'on dit aujourd'hui traditionnel.

La caractéristique majeure du modèle familial dominant actuellement est sans doute d'être ce que les sociologues appellent une *famille nucléaire*, c'est-à-dire composée au maximum d'un couple de parents et de ses enfants. Ce modèle s'oppose au modèle de la famille élargie aux grands-parents, oncles, tantes, cousins..., voire à la domesticité — modèle que l'on a connu jadis.

Parmi les aspects qui sont déterminants pour notre objet, nous retiendrons de la famille nucléaire :

I. — La coupure des racines

Le fait qu'en fondant un foyer on s'éloigne des cellules familiales d'origine instaure une coupure entre le jeune ménage et la génération qui l'a précédé.

Une conséquence directe en est que le savoir-faire avec les tout-petits ne se transmet plus de mère en fille : la rupture matérialisée dans les lieux de vie est orchestrée par une rupture idéologique (reproduire des manières de faire des générations prédentes serait « vieux jeu »). Cette rupture idéologique ouvre le champ de la dépendance aux spécialistes et aux médias : le savoir-faire indispensable sera acquis auprès de ceux qui savent glaner dans les revues et les émissions spécialisées où l'on apprendra les dernières modes de la puériculture (nouvelles à chaque décennie).

II. — La séparation nette entre le travail et la vie de famille

Cette séparation se réalise dans le temps (horaires de travail) et dans l'espace (lieu de travail/logement). Elle est l'héritage de l'organisation industrielle du travail. Seules demeurent encore quelques entreprises comme la ferme familiale ou le petit commerce, où le travail est effectué sur les lieux mêmes de la vie de famille, sans horaires stricts, et avec la participation de tous les membres de la famille à des degrés et à des rythmes divers. Pour la famille « nucléaire », le lieu de vie (appartement ou petite maison) est strictement réservé à la vie privée, et le travail qui assure la vie économique de la cellule familiale se déroule à l'extérieur, dans des horaires délimités.

Cet état de fait a deux conséquences pour nous :

— la famille n'étant plus un lieu de production économique, elle se réduit à être un lieu de consommation, et sa fonction de lieu d'échanges affectifs s'exacerbe en perdant tout à la fois un dérivatif important et un ciment puissant dont le nom était *nécessité*;
— la femme, traditionnellement préposée aux tâches ménagères et à l'éducation des tout-petits, se voit retirer sa participation directe à la production économique, et par là se voit placée devant le dilemme actuel générateur de la question de la garde des enfants : ou bien elle devra rester au foyer, mais elle devra se trouver d'autres nécessités existentielles que la production économique; ou bien elle devra sortir du foyer pour aller travailler, mais l'accomplissement de ses autres fonctions traditionnelles (y compris les soins aux tout-petits) deviendra problématique.

III. — Le dilemme impossible : femme au foyer / femme au travail

1. Femme au foyer. — Dégagée des circuits impérieux de la production, la femme va devoir réinventer son rôle, sa fonction et sa nécessité. Plusieurs possibilités s'offrent alors à elle :

A) *Ménagère.* — Elle va trouver du travail grâce à l'augmentation du sens de l'hygiène : le ménage et la lessive devront éliminer les microbes avec la poussière; la cuisine devra fournir un équilibre diététiquement satisfaisant. Mais ces fonctions sociales qui sont valorisées par l'idéologie médicale se trouvent en même temps dépréciées (comme le travail productif d'ailleurs) par la mécanisation qui profite à l'économie industrielle.

En même temps qu'elle profite à l'industrie, la mécanisation des tâches ménagères (aspirateur, machine à laver le linge et la vaisselle, produits miracles de toute sorte, nourriture cuisinée prête à l'emploi...) se veut facteur de « libération de la femme » et dévalorise au passage la fonction ménagère.

B) *Maîtresse des salons.* — A l'opposé de la ménagère, la femme au foyer pourra trouver sa fonction sociale dans l'héritage de la maîtresse des salons : des relents de XVIIIe siècle remis au goût du jour vont faire d'elle le promoteur des relations sociales gratuites que sont l'art et la charité, en particulier à travers la vie associative. Mais cette fonction-là va se heurter à des obstacles sérieux :

— Contrairement à leurs ancêtres fortunées du XVIIIe siècle, les femmes au foyer, promoteurs de relations sociales gratuites, ont des maris insérés ailleurs dans le processus de production économique; les lieux de relation sociale où elles évoluent et qu'elles animent ne sont pas fréquentés par des hommes improductifs, leurs égaux, qui seraient les héritiers des salonnards du XVIIIe siècle, mais prennent la forme de tentatives d'animation des quartiers, désertés pendant la journée par les forces productives exilées vers les zones industrielles et les hauts lieux concentrés du secteur tertiaire;
— L'art et la charité eux-mêmes ont évolué : devenus affaires de spécialistes, insérés dans des circuits économiques centralisés, ils nc laissent à la femme au foyer que l'espace de l'amateurisme local : expression corporelle, tissage, musique, poterie vont bien fleurir dans les centres sociaux des quartiers; des visites charitables seront rendues aux personnes âgées; mais ces activités pour femmes au foyer ne seront que la version dégradée du professionnel de la danse, de l'artisanat ou du travail social. Le grand art, lui, pourra être *consommé* par les émissions de télévision, et l'entraide professionnelle sera ouverte seulement à celles qui acceptent d'abandonner leur position de femme au foyer pour suivre pendant trois ans une formation d'assistante sociale.

C) *Fée du logis.* — Femme d'intérieur, la femme au foyer peut enfin s'adonner à la double « fonction sociale » d'épouse et de mère.

— La fonction d'épouse conçue comme une réciprocité avec l'époux ne pourra justifier à elle seule d'une position sociale, puisque l'époux, considéré comme égal, a par ailleurs fonction de producteur dans l'économie. L'épouse au foyer ne pourra donc trouver sa fonction sociale dans ce statut qu'au prix du renoncement à un statut d'égalité, et en envisageant son rôle comme un service, ce qu'elle n'est pas nécessairement prête à faire.

— Il lui restera alors la fonction de *mère*. Et la fonction de garde des tout-petits s'ennoblira en « fonction éducative ». S'occuper du jeune enfant n'est plus alors l'une des multiples tâches particulières dans le fonctionnement complexe d'une famille-entreprise, mais la *raison* sociale et la fonction majeure d'une personne : la mère au foyer. La revendication d'un salaire pour elle devient alors justifiée.

Ainsi posée, la question de la garde des enfants n'est pas, comme on l'entend souvent, la conséquence du travail des femmes : elle naît de l'intérieur même de la famille quand celle-ci a perdu sa fonction de lieu de production économique. Et elle s'énonce comme le questionnement de la mère au foyer sur les modalités d'exercice de son rôle et de sa fonction sociale. Elle rend aiguës, pour celles-là mêmes qui sont censées en être protégées, les questions soulevées aux chapitres II, III et IV.

2. **Femme au travail.** — Chacun des différents registres possibles pour que la femme au foyer élabore sa propre fonction sociale laisse donc assez d'insatisfaction pour qu'un certain nombre de jeunes mères cherche à réintégrer les circuits de la production.

Les données économiques sont ici plus ou moins incitatives selon les temps et les lieux : en France, la dernière guerre avait créé une pénurie de main-d'œuvre masculine, et les femmes ont pu être bienvenues sur le marché du travail. Il en va autrement en période de récession économique, de chômage. Bien des discours sur la politique familiale et le rôle de la femme dans l'éducation des enfants apparaissent à cette lumière comme des justifications *a posteriori* de données économiques maîtrisées avant tout par des hommes dans un contexte qui leur donne priorité dans le processus de la production.

Si l'insertion dans les processus de la production économique se fait sur un fond de revendication d'égalité par rapport à l'homme, elle se heurte à deux obstacles de taille : la sous-qualification, à l'échelle statistique, demandera sans doute plus d'une génération pour être sérieusement éliminée; à qualification égale, les salaires sont encore actuellement en France souvent inférieurs.

Mais en ce qui nous concerne ici, un obstacle de taille apparaît par rapport au travail de la mère de jeunes enfants, qui est moins économique qu'idéologique ou psychologique : nous avons vu naître chez la mère au foyer la *fonction sociale* d'éducation des jeunes enfants; travailler, pour la jeune mère, revient désormais à s'abstraire quelque huit à neuf heures par jour à cette fonction sociale-là : travailler, c'est laisser son enfant, c'est le priver pendant un temps long de la présence de sa mère, c'est, d'une certaine façon, l'abandonner quelque peu. Si le malaise de la mère au foyer tient à sa difficulté à trouver une fonction sociale satisfaisante et si son mieux-être passe par la valorisation de la fonction éducative, la mère au travail, elle, sera d'autant plus « coupable » d'abandon que la fonction éducative à laquelle elle renonce en partie aura été plus valorisée.

Jeune mère, si tu travailles, tu seras d'autant plus coupable d'abandon qu'on t'aura présenté la présence auprès de ton enfant comme une nécessité éducative; si tu ne travailles pas, tu seras condamnée à attacher d'autant plus d'importance à l'éducation de ton enfant que tu n'auras pas d'autre fonction sociale; tu nourris le malaise de celle qui prend l'autre option. Tu es prise dans un cercle, et ce cercle est vicieux.

Telle apparaît la question de la garde des enfants : elle naît de la réduction de la taille de la famille et de la modification des temps et lieu de travail par la concentration des entreprises; elle se pose comme un choix exclusif pour les jeunes mères : renoncer soit à un statut social égal à celui de l'homme, soit à une part importante de la fonction éducative; et le caractère contraignant de ce choix pousse chacune à survaloriser le pôle qu'elle a choisi, accroissant le fossé qui la sépare de l'autre.

On peut comprendre à partir de là bien des difficultés d'entente entre une mère qui travaille et une nourrice, qui est mère au foyer. Mais on peut comprendre aussi un bon nombre de tentatives réalisées avec plus ou moins de succès pour échapper à ce dilemme impossible :

— *Des entreprises* ont mis sur pied des « crèches d'entreprises », ou même des « gouttes de lait », avec, dans les meilleurs des cas, la possibilité pour la mère d'aller nourrir son enfant, à plusieurs reprises, prendant sa journée de travail; mais il s'est vite avéré que cette formule obligeait souvent l'enfant à un long temps de transport jusqu'au lieu de travail de sa mère; de plus, la mère était par là davantage assujettie à son employeur, et avait d'autant plus de mal à trouver un autre emploi; enfin le coût pour l'employeur n'incitait guère à développer la formule, beaucoup de mères étant réticentes pour l'utiliser. On a le plus souvent renoncé à cette formule.

— *Les emplois à temps partiel* pour les jeunes mères sont davantage d'actualité en période de crise de l'emploi. Mais ils n'atteignent que partiellement le but de permettre un statut social par le travail; les possibilités d'une carrière professionnelle sont évidemment plus limitées pour qui travaille à temps partiel; et la question de la garde de l'enfant pendant le temps de travail reste posée d'une façon parfois plus complexe encore que pour un travail à plein temps (question du taux de remplissage des crèches).

— *Le travail à domicile* reste très recherché, et peut donc être sous-payé. S'il peut satisfaire parfois les besoins matériels, il ne permet pas l'insertion dans un milieu de travail, avec les possibilités de relations sociales que cela entraîne. Il donne souvent lieu à une exploitation importante des jeunes mères.

Ces différents aménagements restent insatisfaisants pour les utilisateurs, et ne touchent qu'une minorité parmi les personnes concernées. Ils paraissent significatifs du désir d'échapper au dilemme que nous avons énoncé, mais ne semblent pas réellement parvenir à leurs fins.

IV. — Les « nouveaux pères »

A défaut d'une évolution profonde de la structure des entreprises et du mode de travail, peu vraisemblable dans un avenir immédiat, une autre évolution semble par contre se dessiner, qui peut modifier dans un avenir relativement proche la problématique de la garde des enfants : c'est celle des rôles à l'intérieur de la « famille nucléaire ».

La prise en compte de la « condition féminine » au cours des dernières décennies, la mise en évidence des inégalités entre les sexes, la prise de conscience progressive — mais profonde dans les mentalités — de ces inégalités semblent amener lentement par ricochet une modification de la condition masculine.

La possibilité d'un « congé parental » pris par le père ou la mère après la naissance d'un enfant est utilisée par quelques pères; le statut d'assistante maternelle, applicable aussi à des

« assistants maternels », est endossé par quelques rares hommes; on voit apparaître des éducat*eurs* de jeunes enfants — des puéricult*eurs*, des assistan*ts* maternels —, les méthodes récentes d'accouchement « sans violence » associent le père à un moment de la vie longtemps resté « affaire de femmes »; on parle des cultures exotiques où le rite de la « couvade » associe le père à la grossesse de la femme; à mesure que des femmes de plus en plus nombreuses ont accès à différentes formations, on voit certaines gagner leur vie mieux que leurs époux, et, le chômage aidant (y compris pour les hommes), il n'est plus exceptionnel qu'un homme prenne en charge les travaux ménagers et l'éducation des enfants pendant que sa femme assure la survie financière de la famille; d'une façon encore plus fréquente, dans les familles où homme et femme travaillent, les travaux ménagers sont parfois partagés à égalité — y compris les soins aux tout-petits.

Cette série de constats ne saurait nous masquer la réalité massive, qui veut que les soins du tout-petit constituent encore une activité « spécifiquement » féminine, que l'homme au foyer dont la femme travaille ait plus de difficultés encore que la femme au foyer à obtenir la reconnaissance d'un statut social, que ce soit dans le regard que les autres portent sur lui ou dans le regard qu'il porte sur lui-même, tant sont prégnants les modèles que nous avons hérités de notre éducation la plus lointaine.

Ces phénomènes restent statistiquement marginaux, et il faudra sans doute plusieurs décennies encore avant de savoir si cette marginalité reste telle, voire disparaît comme une mode, quel que soit l'écho que les médias lui auront donné pendant un temps, ou si cette marginalité constitue la préfiguration et l'ébauche d'une transformation profonde d'une manière d'être et d'une culture. Dans cette dernière perspective, il nous faut souligner que *l'intérêt porté par les hommes au partage de la vie des tout-petits serait une innovation sans précédent dans plus de deux mille ans de notre histoire.* Et l'on peut gager que les conséquences, difficilement prévisibles, n'en seraient pas anodines.

En particulier, si cette modification venait à toucher les milieux où se décide le mode de travail (les milieux du patronat, des cadres, mais aussi des militants syndicaux) et les milieux où se décide l'urbanisme, on peut penser que le cloisonnement travail/vie privée serait ébranlé sous sa forme actuelle, et que serait renouvelée la problématique récente de la « garde d'enfants ».

CHAPITRE II

LA VALORISATION INQUIÉTANTE DU DÉBUT DE LA VIE

Nous avons vu que la condition de la mère au foyer dans le fonctionnement social actuel obligeait celle-ci à considérer l'éducation du jeune enfant comme la justification de son statut social. L'attention qu'elle porte au tout-petit va donc s'accroître par rapport à l'attention que pouvaient lui porter ses ancêtres, qui partageaient ce souci avec celui de la ferme ou de l'entreprise artisanale familiale — c'est-à-dire avec celui de leur propre survie.

Tout un discours théorique (et plus souvent encore idéologique) se développe, qui renforce cette attention, et donne naissance au deuxième enjeu fondamental de la question de la garde des enfants. Nous pouvons tenter de repérer les éléments marquants de ce discours.

Santé physique et droit de vivre. — Le premier élément fut médical. Son incidence directe s'inscrit dans l'évolution du taux de la mortalité infantile : 25 % au cours de la première année au début du siècle; moins de 1 % pour la première fois en 1979. De l'un à l'autre, un développement considérable des connaissances, mais aussi et surtout de leur popularisation, concernant l'hygiène, les soins, la prévention médicale.

Il est possible de se gausser désormais des excès et des contradictions de la médecine et de la puériculture : l'hygiène a souvent été développée jusqu'à l'obsession, servant de paravent à d'autres angoisses et assimilant les soins du tout-petit aux soins hospitaliers; des conseils très contradictoires ont été donnés aux mères et à leurs substituts; des avis arbitraires ont été érigés en absolu sous couvert de science. Mais à travers tous ces excès, ces jeux et ces abus de pouvoir, ces savoirs tâtonnants ou frelatés, une évolution capitale s'est fait jour : la norme est maintenant qu'un tout-petit doit vivre. La mort d'un enfant est exception; elle devient drame. Et la vie d'un enfant a du prix.

Qu'il soit « gardé » ou non, c'est-à-dire qu'il soit gardé par sa mère ou par quelqu'un d'autre, l'enfant a désormais *droit* à la présence compétente d'un adulte, à la surveillance qui lui évitera des accidents, aux soins qui lui permettront de grandir en bonne santé.

Et ce droit lui est garanti par la société : mère, nourrice et tous autres lieux de garde sont surveillés et contrôlés par les services de PMI. Celles qui n'ont pas assimilé les enseignements de la puériculture sont informées, voire formées. Celles qui se refusent à les intégrer sont destituées : le juge des enfants, protecteur de la vie désormais sacrée du tout-petit, pourra retirer à la mère son « droit de garde », au nom du droit de l'enfant à vivre.

A ce moment précis, des mots de la psychanalyse passent dans le langage courant. « Complexe », « frustration », « traumatisme »... perdent leur rigueur conceptuelle et leur efficacité thérapeutique pour véhiculer et renforcer l'inquiétude de celles qui tiennent désormais leur raison d'être des soins aux tout-petits : « Attention! Si vous frustrez un enfant, vous lui créez des traumatismes qui engendrent des complexes... Et gardez-vous d'une relation pathologique avec un enfant! »...

Mais qui peut dire que son enfant n'est pas traumatisé, que ses relations ne sont pas pathologiques ? La question va rester ouverte, créant tout un marché où s'engouffrent magazines, « bons » ouvrages, consultations de spécialistes et professions diverses entachées de psychologie.

Ce phénomène ne caractérise pas spécifiquement la question de la garde des enfants; il concerne au moins la totalité de l'approche des tout-petits. Mais, étant son contemporain, il la pénètre et la colore.

Comme dans le domaine de la puériculture paramédicale, une dépendance s'instaure vis-à-vis de la compétence « psychologique » et « éducative », sur la base d'une inquiétude qui n'est plus directement celle de la mort physique de l'enfant, mais celle des « traumatismes » et de la pathologie mentale. Ici encore, l'enjeu peut se comprendre en termes économiques (le « marché » des professions concernées, des publications, des jouets...) et en termes de « contrôle social » — en l'occurrence le contrôle de l'idéologie transmise dans la cellule familiale par les idéologies transmises dans l'appareil d'Etat (les sciences enseignées dans les universités).

Dès lors, l'éducation des tout-petits, et singulièrement la garde des jeunes enfants, devient un des lieux de compétition des pouvoirs entre les parents et la société qui mandate, forme et rémunère des professionnels pour les « surveiller » (cf. chap. IV, 2e partie).

Il va de soi que ce propos n'est pas une condamnation du discours psychologique : on ne saurait nier l'intérêt que représentent pour la connaissance et la compréhension de l'enfant l'observation et les expérimentations rigoureuses qui ont été faites depuis quelques décennies et dont des repères essentiels seront rappelés plus loin. On ne saurait non plus nier l'apport de l'interprétation psychanalytique à la thérapeutique des situations pathologiques de l'enfant, de la relation mère-enfant, ou de l'ensemble du réseau relationnel dans lequel l'enfant est inséré.

Mais l'efficacité thérapeutique elle-même ne saurait occulter la fonction sociale du processus, la relativité de la notion de pathologie dans le domaine mental et la mainmise des spécialistes modelés par l'université et payés par la collectivité sur les relations familiales, sous le couvert idéologique de la prévention.

Avec la généralisation de ce droit de vie de l'enfant garanti par la société, la position de l'adulte qui s'occupe du jeune enfant se trouve radicalement modifiée : la mort d'un jeune enfant n'est plus la marque fatidique d'un destin, mais va pouvoir désormais signer l'incompétence ou l'incurie de la mère ou de ses substituts. Le « contrôle social » institué demandera des comptes à celle qui s'en sera rendue coupable. Veiller sur un tout-petit est plus que jamais angoissant.

Pour calmer cette angoisse, les bons ouvrages écrits par des médecins vont se multiplier, les consultations médicales obligatoires vont être acceptées, voire désirées et doublées d'autres consultations encore, les professions paramédicales vont fleurir et devenir indispensables (puéricultrices, auxiliaires de puériculture...) : ainsi le droit de vie de l'enfant va s'acquérir au prix d'une dépendance des adultes à l'égard de ceux qui détiennent le savoir de la puériculture (savoir extérieur à la famille); et le ressort de cette dépendance est l'inquiétude de qui est désormais responsable.

Santé mentale et équilibre. — Mais quand la survie du tout-petit a acquis son prix, l'évolution des idées et des pratiques ne s'arrête pas. Un nouvel arsenal idéologique va s'infiltrer de toutes parts dans les préoccupations qui entourent l'enfant, cette fois-ci sous la férule de psychologues.

Le fond de l'héritage n'est pas très nouveau : depuis l'invention de la psychanalyse et la mise à jour du fonctionnement de l'inconscient, l'idée selon laquelle les expériences affectives du début de la vie ont quelque chose de déterminant est une idée acquise. Le phénomène qui s'est développé, en même temps que la garde d'enfants s'est énoncée publiquement comme « problème », est une mise en œuvre particulière et généralisée de cette idée.

Le caractère déterminant des expériences précoces s'était imposé à Freud à partir de l'analyse du fonctionnement affectif et de l'inconscient d'un certain nombre d'*adultes*. Ce n'est que plus tard, et dans un second temps, qu'on a voulu utiliser cette découverte dans les préoccupations éducatives : on savait soigner les adultes souffrants en facilitant une reviviscence de leur petite enfance; on voulait désormais prévenir la souffrance des futurs adultes en aménageant les premières expériences du tout-petit.

Cette démarche est arrivée à point nommé. Elle s'est présentée à nous au moment où la vie du tout-petit était devenue une chose précieuse en elle-même, où les soins au tout-petit étaient pour beaucoup une raison d'être; où le savoir médical en puériculture plafonnait, près du maximum de ses possibilités, et n'offrait plus un espace suffisant pour la crainte, le respect et la recherche.

CHAPITRE III

L'APPROPRIATION DE L'ENFANT

L'émergence du rapport de pouvoir entre la société et les parents se joue concrètement sous la forme de l'appropriation de l'enfant.

L'argumentation des choix. — La première illustration nous vient de l'argumentation donnée par les parents pour le choix d'un mode de garde : la nourrice sera choisie (quand ce n'est pas par obligation) pour sa capacité à être le prolongement de la famille; le cadre dans lequel elle exerce sa fonction (l'appartement semblable à celui des parents) comme le mode de relation qu'elle établit avec l'enfant (substitution maternelle partielle) sont perçus positivement comme l'exercice, par délégation, de la fonction parentale.

Mais quand on craint que cette substitution ne fasse ombrage à la relation mère-enfant, on préfère le lieu de vie collectif pour l'enfant, la crèche, dont le personnel multiple garantit qu'un attachement exclusif ne désappropriera pas la famille de sa place. Dans un cas comme dans l'autre, l'enjeu est bien le maintien du pouvoir parental sur l'enfant, que celui-ci soit délégué pour s'exercer d'une façon identique ou qu'il soit posé comme alternatif, pour mieux s'exercer par sa différence même.

Les relations quotidiennes entre adultes autour de l'enfant. — Les relations quotidiennes entre la mère et celles qui s'occupent de l'enfant en son absence sont imprégnées du même phénomène : telle mère se plaint de ce que son enfant « ne lui appartient plus », ou « n'est plus le sien » dès lors qu'il apprend des mots et des manières de faire qui ne sont pas ceux de la famille; telle autre délimite nettement les territoires d'appartenance : « à la crèche, ils font ce qu'ils veulent, chez moi, c'est différent »; les mille petits conflits qui émaillent les relations mère-nourrice portent le plus souvent sur les manières de faire avec l'enfant, sur une même toile de fond qui est la question : qui, de la mère ou de la nourrice, va le marquer de son sceau propre ?

Dans les conversations du personnel des crèches, les preuves de l'incompétence, de la maladresse ou de la négligence des parents constituent le fond de bien des conversations, comme pour justifier l'appropriation dont on se rend « coupable ». Ou encore, lorsque, le matin ou le soir, mère et assistante maternelle ou mère et puéricultrice se trouvent ensemble avec l'enfant, on voit fréquemment l'enfant « devenir impossible », et transgresser les lois qu'il connaît et intègre d'ordinaire, tandis que les deux adultes, mal à l'aise d'exercer l'une devant l'autre un pouvoir mal partagé, attendent ou n'osent intervenir nettement.

Face à ce conflit d'appropriation de l'enfant, une solution a pu être trouvée jadis dans la répartition des territoires : le lieu de garde pouvait devenir un espace dont les parents étaient strictement exclus, tandis que le pouvoir du personnel ne dépassait pas les cloisons; on est allé jusqu'à construire des guichets à travers lesquels on passait les enfants sous couvert de prophylaxie (1).

Vers une primauté de la collectivité. — Le guichet aujourd'hui est passé de mode à peu près partout; l'exclusion des parents du lieu de garde pas toujours; mais si la barrière matérielle tombe, il en est une autre

(1) On en trouvait encore il y a cinq ans.

plus occulte qui la remplace : c'est celle de la « compétence ». La protection du pouvoir sacré du personnel de la crèche est assurée par ailleurs : père et mère peuvent entrer, apporter leurs sentiments et leur odeur jusque dans les lieux qui ne sont pas de leur ressort, parce que la sécurité de la puéricultrice, de ses auxiliaires ou de l'éducatrice — sécurité quant au pouvoir qu'elles exercent sur l'enfant — est assurée par une formation et consacrée par un diplôme.

On voit ici à l'œuvre les progrès de l'idéologie sociale sur la cellule familiale : la crèche peut désormais abattre les forteresses qui la contenaient dans un espace clos et se laisser pénétrer de part en part sans craindre pour sa substance. On parlera désormais de la crèche comme lieu de formation des jeunes parents qui pourront y apprendre le savoir-faire reconnu qui leur manque : c'est désormais à la crèche que la jeune mère pourra apprendre à coucher son enfant sur le ventre, ou sur le dos, ou sur le côté, selon la mode du moment; à reconnaître un début de rougeole, à utiliser des jeux d'emboîtement adaptés à l'âge de son enfant...

La compétence médico-psychologique du personnel de la crèche permet de réaliser le renversement dans l'équilibre des pouvoirs : de la primauté de la relation familiale qui entachait de culpabilité et forçait à protéger une appropriation extra-familiale de l'enfant, on passe à l'appropriation de l'enfant par la collectivité, dont les parents pourront devenir les rouages après avoir été les élèves.

La mise en place progressive du statut des assistantes maternelles peut être comprise en des termes analogues : là où la rivalité coupable entre une mère et le substitut qu'elle paie tournait légitimement au bénéfice de la mère, toujours en mesure de retirer son enfant, le statut professionnel, la formation, et l'agrément validant des qualités éducatives vont donner à l'assistante maternelle le poids de la compétence et de la reconnaissance sociale. Mais ici la mère reste encore à ce jour employeur, le plus souvent, en attendant que le nombre des crèches familiales devienne suffisant.

L'existence de contre-pouvoirs. — Ce renversement de l'équilibre des pouvoirs ne saurait évidemment être entendu comme total et absolu : par rapport aux assistantes maternelles, la mère reste le plus souvent employeur, et les changements de placement restent assez nombreux (3 à 5 pour un même enfant en moyenne) pour affirmer la suprématie du pouvoir des parents; chez le personnel des crèches, comme chez les assistantes maternelles, la conscience d'être prise souvent comme une domestique par les parents n'est pas toujours dénuée de fondement; les conflits souvent larvés, parfois ouverts, entre mère et professionnelle attestent que la dépendance n'est pas totalement de rigueur... la présence d'un pouvoir parental sur l'enfant reste forte et avérée.

Mais les formes les plus constructives de l'exercice du pouvoir parental sur les lieux de garde des enfants semblent être en train de s'élaborer à tâtons : crèches sauvages organisées par les parents eux-mêmes, conseils de parents participant à la gestion ou aux choix pédagogiques de la crèche, rencontres parents-professionnels au sujet de la vie de la crèche... des lieux se créent ici ou là, où le rapport de pouvoir semble pouvoir dépasser la relation de dépendance du professionnel au parent propriétaire de son enfant, ou des parents aux spécialistes compétents sur le devenir de leur enfant.

Le jeu des financements. — Le financement des lieux de garde d'enfants fera l'objet d'un chapitre particulier (cf. p. 97). S'agissant de l'appropriation de l'enfant gardé, on ne peut considérer que ce financement est anodin : l'appropriation par les spécialistes dans les crèches financées à 75 % par la collectivité, et sa mainmise sur l'enfant ne peuvent être comparées à celle qui est constamment contrôlée par les parents financeurs à 100 % dans les crèches coopératives du Québec; l'assistante maternelle de crèche familiale, dont l'embauche est réalisée par la crèche et le salaire versé par elle, n'a pas la même dépendance à l'égard des parents que sa collègue dont l'embauche, le salaire et le licenciement dépendent des seuls parents.

Il est à noter que sous l'exercice du gouvernement « libéral », les orientations qui ont été suivies en matière de financement des équipements sociaux n'ont pas été, pour les lieux de garde des enfants, les mêmes que pour les autres équipements.

Le principe théorique était qu'un équipement social devait tendre à être financé par l'usager, quitte à aider celui-ci quand ses revenus ne lui permettaient pas de couvrir le coût réel. Ainsi les subventions aux colonies de vacances ont-elles diminué, obligeant les organisateurs à augmenter leurs tarifs, tandis qu'étaient institués les « bons vacances » pour les familles à revenus modestes; de même, l'aide personnalisée au logement attribuée dans des conditions comparables était développée pendant que diminuait le financement des organismes HLM par la collectivité et que leurs loyers augmentaient.

Ce principe n'a pas été appliqué aux équipements de garde d'enfants : l'allocation de frais de garde a au contraire été supprimée au bénéfice du complément familial, versé quelle que soit l'existence ou la non-existence d'une garde payante pour l'enfant; et les équipements se sont multipliés, en grande partie à la charge des collectivités. Il est vrai que cette politique correspondait aussi à des orientations concernant le travail des jeunes mères; mais elle a maintenu pour les crèches et haltes-garderies un statut qui se situe entre celui des équipements sociaux, de plus en plus financés par les utilisateurs, et celui des écoles où l'enfant entre totalement mais clairement sous la férule de l'appareil idéologique d'Etat.

Une problématique historiquement datée. — En fait, cette problématique de l'appropriation de l'enfant est assez typiquement contemporaine. Elle est la conséquence directe de la réduction de la cellule familiale à l'état de famille nucléaire (cf. p. 11) : dans une famille qui était unité de production économique, et qui était élargie aux grands-parents, oncles, tantes, cousins, employés et domestiques, la question de la propriété des parents sur les enfants ne pouvait se poser d'une façon aussi aiguë; l'appartenance à une famille était l'appartenance à une cellule sociale large et offrait un champ étendu de relations affectives possibles pour chacun — adulte et enfant.

La réduction du nombre des relations affectives confère à celles qui restent un caractère plus exacerbé et plus exclusif; il place la vie collective à l'extérieur de la famille; par conséquent, il ouvre un terrain conflictuel, sur la frontière qui sépare la vie désormais privée, intérieure à la famille, de la vie collective qui lui est extérieure.

Dès lors, le partage du lien à l'enfant devient difficile pour la mère et pour le père, tandis que le non-partage leur confère une puissance considérable — voire inquiétante — sur lui. Le dépassement de ce dilemme ne semble pas pouvoir être opéré autrement que par la restauration d'une cellule sociale plus large que la famille nucléaire.

C'est dans cette perspective que les crèches parentales ou les associations de parents de crèches, quoique encore rares, peuvent être les leviers d'une évolution importante : quand elles ne se réduisent pas à des actions de défense d'intérêt ponctuel, elles constituent un lieu où s'élabore collectivement une vie sociale et une orientation pédagogique, qui ne sont ni celles, exclusives, de deux parents, ni celles, anonymes, qu'impose une collectivité vécue comme extérieure.

CHAPITRE IV

LES IDÉAUX PROJETÉS SUR L'ENFANT

Nous avons fait la part du sentiment de propriété qui colore le lien affectif à l'enfant : ce sentiment qui fait dire « mon » fils, « ma » fille, mais aussi qui amène l'instituteur comme la puéricultrice — voire l'assistante sociale — à parler de « ses » petits. Cette tonalité de possession se retrouve d'une façon comparable dans les relations affectives entre adultes (« mon » mari, « ma » femme, « mon » amie) avec les mêmes degrés de densité variable, les mêmes possibilités d'excès par possessivité, exclusivité et jalousie, et la même inscription dans les fonctionnements sociaux (voir par exemple, la place qui est faite, dans le code civil, à la transmission des biens entre « proches »). Mais il est une autre tonalité, plus spécifique de la relation entre l'adulte et l'enfant, qui éclaire les fonctionnements sociaux de l'éducation des tout-petits et en constitue un enjeu : c'est l'ensemble des désirs que l'adulte (chacun des adultes) projette sur l'enfant qu'il aime.

Le roman familial. — On connaît bien, à partir du bon sens populaire, le mécanisme qui veut qu'on investisse sur « ses » enfants l'ensemble des désirs que l'on n'a pu réaliser pour son propre compte : le désir que son enfant fasse les études qu'on n'a pu faire, ou qu'il ait le choix de son orientation quand on n'a pu choisir soi-même la sienne, ou qu'il bénéficie de la liberté qu'on n'a pas eue, ou de l'autorité qui nous a manqué. On sait aussi, en positif, qu'on transmet un certain nombre de manières d'être et de faire, de « valeurs », parce qu'on les a « reçues ».

Mais au-delà de ces visées souvent conscientes, nos désirs d'adultes au sujet des enfants sont modelés par ce que Freud appelle notre « Roman familial » : le roman que nous avons imaginé, étant enfants, au sujet de parents qui, plus que les nôtres, étaient merveilleux. Aux tréfonds de tout inconscient, sommeille ce modèle des parents idéaux que nous aurions aimé avoir; et ce modèle idéal se réveille en nous quand, adultes, nous nous trouvons auprès d'enfants en position de parent — réel ou substitutif : ce qu'il est bon d'être avec cet enfant, c'est d'être comme ce parent que j'ai rêvê d'avoir; non un parent réel, car les parents réels ont des défauts, sont parfois désagréables, et ne comblent jamais tous les désirs des enfants, mais un parent construit par notre imaginaire et qui est parfait.

L'existence de ce fantasme du « roman familial » peut éclairer un certain nombre de fonctionnements qui nous concernent ici.

L'enfance comme lieu d'idéalisation. — D'abord en inscrivant dans les déterminismes inconscients la dimension idéalisée de la relation entre adultes et enfants : on sait que pour une mère comme pour un père, sa propre progéniture constitue peu ou prou au début de la vie au moins « la huitième merveille du monde »; on sait aussi que si l'enfant plus grand idéalise ses parents en leur attribuant des qualités qu'ils n'ont pas toujours, lesdits parents le lui rendent bien dans la plupart des cas. Mais s'agissant collectivement de la place qui est faite aux enfants d'une façon générale, on retrouve souvent chez les adultes qui s'occupent d'enfants à quelque titre que ce soit la tendance à idéaliser l'enfant, à s'idéaliser eux-mêmes, et à idéaliser ce qui se passe entre l'enfant et eux : quel promoteur d'équipement ou de maison d'enfants, quel directeur ou quelle directrice qui prend à cœur son entreprise n'a pas quelque peu le sentiment ou la volonté de réaliser pour les enfants un lieu de vie idéal qui ferait de lui ou d'elle un adulte parfait. Les obstacles rencontrés dans la réalisation ou l'aménagement de ces lieux de vie pour enfants sont souvent d'autant plus dramatisés qu'ils interviennent comme des obstacles à la réalisation d'un idéal impérieux, et non comme les pôles contradictoires d'une réalité dialectique.

On s'étonne moins à partir de là que les promoteurs publics — dont les décisions sont prises par des personnes de chair, d'os et de rêve — réalisent parfois pour les tout-petits d'un quartier des équipements qui se veulent idéaux, mais se donnent rarement les moyens d'évaluer les besoins réels du même quartier : là où 40 enfants peuvent bénéficier d'un rêve, on risquerait de s'apercevoir que 400 ou 4 000 autres n'ont pour vivre qu'une réalité, et une réalité difficile. Des solutions qui amélioreraient la vie de tous obligeraient souvent — compte tenu des contraintes financières de la réalité — à renoncer au rêve poursuivi pour quelques-uns.

Au demeurant, les réalisations d'équipements pour les tout-petits font recette dans les bulletins municipaux ou électoraux, même auprès de la population qui sait qu'elle ne peut en bénéficier faute de place : les équipements rejoignent là les autres supports de rêve que les médias amènent au cœur des chaumières. L'enfant, heureux ou malheureux, que nous présentent les médias, ne nous permet-il pas de nous placer tour à tour et en rêve à sa place et à la place de ceux qui lui veulent du bien... dans un idéal qu'aucune réalité ne contredit — ce qui ne peut être le cas en permanence avec nos propres enfants.

Des conflits pour atteinte au rêve... — Au-delà de la dimension d'appropriation évoquée au chapitre précédent, un certain nombre de conflits entre des parents et des professionnels qui s'occupent de leurs enfants trouvent également ici des éléments d'explication : telle directrice de crèche qui a idéalisé l'univers dont elle entoure les enfants acceptera d'autant plus mal une critique même anodine que les parents pourront lui adresser; et les parents ressentiront de même tout ce qui, dans les réactions des professionnels, pourrait porter atteinte à l'image idéalisée qu'ils se font de l'exercice de leur fonction parentale.

... et des conflits entre rêves différents. — Lorsqu'une conscience suffisante de ces mécanismes est acquise par rapport à nos propres manières de faire, un travail d'équipe peut s'engager — un travail d'équipe, c'est-à-dire une confrontation des désirs et des rêves de chacun pour les faire cohabiter.

Le « débat pédagogique » qui peut alors s'instaurer constitue la version rationalisée et élaborée du conflit entre les projections de désirs différents. Il s'avère nécessaire, pour éviter que cette inévitable confrontation ne se réalise d'une façon sauvage, à travers des non-dits où l'agressivité refoulée ressort pas à-coups, avec les autres adultes ou avec les enfants.

Tout adulte est fondé à tendre vers une réalisation de ces désirs. La situation de garde de l'enfant, en multipliant les adultes qui entourent un même enfant, multiplie les désirs différents projetés sur lui. Une harmonisation suffisante des désirs et projets semble nécessaire pour que les divergences soient assumées : le choix par les parents des personnes qui s'occupent de leurs enfants, sur des critères de sensibilité éducative, et l'échange entre adultes sur l'éducation donnée aux tout-petits s'avèrent indispensables.

Ces mêmes critères de projet ou de sensibilité pédagogique comme de capacité à échanger entre adultes à leur sujet peuvent présider à la constitution de l'équipe du personnel d'un lieu de garde.

Des idéaux collectifs. — Cette dimension de l'idéal projeté sur l'enfant intervient aussi dans le rapport entre la collectivité et la famille que nous évoquions à propos de l'appropriation de l'enfant.

Dans la confrontation des désirs des adultes par rapport à l'enfant, ceux des parents ont une force particulière qui tient à leur densité même : nous avons vu à quel point les relations affectives pouvaient être exacerbées dans la famille nucléaire. En face d'eux, les désirs de telle puéricultrice ou de telle éducatrice de jeunes enfants seraient peu de chose s'ils n'étaient revêtus du manteau de la compétence et du soutien de la collectivité : formation, diplôme, statut professionnel, permettent à un professionnel de ne pas parler seulement en son nom et au nom de ses désirs propres, mais de parler en « spécialistes ». De même que dans le conflit d'appropriation de l'enfant, nous avons repéré la fonction des professionnels représentants de la société qui les paie, de même, dans la confrontation des désirs projetés sur l'enfant, les professionnels apparaissent comme porteurs des idéaux collectifs.

Quand l'idéologie commune s'imprègne de psychologie, le désir collectif intègre l'équilibre affectif, l'éveil et la socialisation des enfants : notre société ne peut se contenter de porter en son sein des enfants vivants; elle les veut heureux, éveillés et sociables. Dès lors, des parents par trop hygiénistes seront considérés comme mauvais parents par leur entourage, et en tout premier lieu par les spécialistes : leur désir sera constamment contrecarré s'il n'intègre peu ou prou les idéaux collectifs dominants.

Un lieu de confrontation entre l'idéal collectif et l'idéal parental : l'agrément PMI. — La confrontation entre idéal collectif de la société et idéal parental se retrouve au cœur des questions qui se posent aux travailleurs sociaux à propos de l'agrément des assistantes maternelles. Le statut professionnel des assistantes maternelles voté en 1977 inscrit dans le droit le projet éducatif de la collectivité sur les enfants : pour qu'une nourrice — désormais une assistante maternelle — soit reconnue et acceptée par l'agrément, il n'est plus exigé d'elle des conditions de santé et de moralité, mais des conditions de santé, d'*hygiène corporelle et mentale*, une *capacité à « concourir à l'éveil intellectuel et affectif et à l'éducation* » du mineur dans des conditions appropriées à son « âge »; enfin, pour les placements permanents (et pour eux seulement!) une capacité à établir avec la famille des relations nécessaires à l'épanouissement du mineur.

La collectivité garde ainsi le souci de la santé des enfants (l'examen médical de l'assistante maternelle doit éliminer les risques de maladies contagieuses); elle n'accorde plus d'importance, officiellement, à la moralité des intéressées; par contre, l'hygiène qui est non seulement corporelle mais aussi mentale, et des « capacités éducatives » font leur apparition.

Cette situation place les travailleurs sociaux des services de PMI dans une situation délicate : si des criètres de santé peuvent être élaborés d'une façon relativement objective, l'appréciation des « capacités éducatives » ou de l'hygiène mentale laisse une grande place à l'arbitraire, et le risque est désormais profondément ressenti, chez ceux qui sont chargés d'évaluer ces capacités, de confondre leurs propres exigences éducatives, issues de leurs idéaux personnels, avec les exigences de la collectivité qui les mandate. Imposer leurs propres choix éducatifs revient pour eux à se substituer aux parents dans leurs choix des modalités d'éducation de leurs enfants ; mais les choix de la société définissant un « minimum acceptable » en matière d'éducation sont apparemment peu clairs. Du moins reflètent-ils des préoccupations héritées de la psychologie — discipline qui fait partie du patrimoine idéologique des travailleurs sociaux dès la formation qu'ils reçoivent.

Ce flou dans les critères d'agrément, et ce risque de substitution du travailleur social aux parents ont obligé à mettre en place au cours de ces dernières années des « commissions d'agrément » : le travailleur social du secteur n'ayant pas de repère clair pour poser telle ou telle exigence au nom de la collectivité, son arbitraire doit être neutralisé par la confrontation avec l'arbitraire de plusieurs de ses pairs. Ainsi l'avis favorable ou défavorable à un agrément doit-il refléter le dénominateur commun à une petite collectivité de travailleurs sociaux imprégnés de l'idéologie dominante. Des parents devraient pouvoir « choisir leur assistante maternelle », c'est-à-dire le lieu où leurs désirs personnels sur leur enfant serait le mieux satisfaits, dans le lot commun des assistantes maternelles présélectionnées sur les critères collectifs.

On peut comprendre pourquoi, hors de toute considération économique, certains parents sont plus à l'aise avec une assistante maternelle qui n'est pas agréée, et pourquoi il est important pour la collectivité que les assistantes maternelles le soient.

DEUXIÈME PARTIE

LES PRATIQUES

CHAPITRE PREMIER

LE CADRE LÉGISLATIF ET MÉDICO-SOCIAL

On pourrait penser que l'Etat n'a pas à intervenir en matière de placements d'enfants : ceux-ci seraient sous la responsabilité exclusive de leurs parents. Cette conception « libérale » sous-entendrait que l'enfant est « l'objet » de sa famille, qui pourrait en disposer; qu'il n'a pas droit comme les autres membres les plus faibles du corps social (inadaptés, personnes âgées) à une protection pour lui-même : soit que celle de ses parents vienne à manquer, soit que la manière dont elle est assumée par eux doit être surveillée.

C'est ce dernier principe qui fonde l'action de la protection maternelle et infantile. Elle veut, à l'égard d'enfants « normaux », — pourvus d'une famille *a priori* sans reproche —, à la fois respecter la liberté des parents et à la fois contrôler avec souplesse et discernement le mode d'exercice de leur autorité parentale. C'est le rôle de la Protection maternelle et infantile (PMI).

Avant d'examiner le rôle et le mode d'exercice de la protection maternelle et infantile on peut observer :

— que l'Etat — par le ministère de la Santé et les directions départementales des affaires sanitaires et sociales — nomme des fonctionnaires administratifs et techniques (Inspecteurs des Affaires sanitaires et sociales, médecins, puéricultrices, assistantes sociales, etc.). Les dépenses qui en résultent sont réparties entre le budget de l'Etat lui-même (80 % en moyenne) et celui des départements (20 % en moyenne);
— que l'Etat aide à la mise en place des équipements — en subventionnant la *construction* des crèches, centres de PMI, haltes-garderies, pouponnières, etc.;
— mais que, par contre, il n'intervient pas pour aider à financer les frais de *fonctionnement* de ces équipements. Ce sont les promoteurs (les Caisses d'Allocations familiales, les communes) qui ont tout à leur charge, la participation des parents étant relativement faible par rapport au prix de revient;
— par contre, l'Etat prend à sa charge le fonctionnement des écoles maternelles, qui ne sont ouvertes (en moyenne) qu'un jour sur deux, avec des horaires qui ne correspondent pas aux horaires des familles laborieuses;
— il faut tendre, par conséquent, à la complémentarité des équipements, école maternelle d'une part, crèche et garderie d'autre part. Elle se révèle difficile en raison de la rigidité des statuts et des mentalités. C'est pourquoi les « centres de la petite

enfance » ne se sont pas développés. Ils voulaient non seulement regrouper, mais « fondre » les équipements de la petite enfance. L'école maternelle s'est refusée à perdre son autonomie.

I. — Les directions départementales des affaires sanitaires et sociales (DDASS) et la PMI

La PMI est le système de protection médico-social des enfants depuis leur conception et jusqu'à l'âge de 6 ans. Ce service fait partie de la Direction départementale des Affaires sanitaires et sociales (DDASS) (1). Il comprend des médecins, des assistantes sociales, des puéricultrices, infirmières et secrétaires médicales.

Son rôle. — C'est un rôle de prévention, de dépistage, de « surveillance » médico-sociale, de liaison avec les autres services médicaux et sociaux, qui est en extension constante.

A) *Prévention.* — La législation sur la PMI oblige les futurs époux à passer une visite médicale avant leur mariage (pour qu'ils sachent si leur état de santé peut nuire à leurs enfants à venir); elle oblige les futures mères à se soumettre avec leurs bébés, à des visites après la naissance ainsi qu'à une série de vaccinations obligatoires.

C'est une législation contraignante; se soustraire à certaines visites qui donnent lieu à la délivrance de certificats par le médecin, entraîne la suppression des allocations prénatales ou postnatales par la Caisse d'Allocations familiales.

(1) Lire *L'aide sociale d'aujourd'hui*, de A. THÉVENET (ESF, 1980).

B) *Dépistage.* — Au cours de ces visites sont dépistés les maladies, handicaps, ou malformations qui doivent être traités souvent très vite.

L'exploitation statistique des certificats de santé permet, en outre, aux Directions des Affaires sanitaires et sociales de dénombrer les handicapés et ceux qui risquent de le devenir, et de mettre en place les équipements et les services sociaux et médicaux pour les « suivre » et les soigner, soit à leur domicile, soit dans les établissements spécialisés.

C) *Surveillance médico-sociale.* — La PMI ne veut donc pas se limiter à sélectionner et agréer les assistantes maternelles ni à contrôler les équipements de la petite enfance (crèche, halte-garderie...).

Elle ne veut pas non plus se borner à établir des contacts espacés avec les enfants et leurs familles, mais elle entend lier avec eux, et surtout avec ceux qui ont des difficultés, une aide continue, une « navigation au long cours » face aux difficultés que soulèvent les cas d'enfants malades, retardés ou difficiles.

D) *Liaison avec les autres services médicaux et sociaux.* — L'équipe PMI (médecin, assistante sociale, personnel paramédical) est ainsi amenée à jouer un rôle de charnière, avec les dispensaires d'hygiène mentale, l'intersecteur de psychiatrie infanto-juvénile, et le service de santé scolaire (qui prolonge la PMI après l'âge de 6 ans) et les autres services sociaux ou médicaux spécialisés.

Le centre de PMI de circonscription est, de plus, devenu depuis la loi du 4 décembre 1974, un centre de planification et d'éducation familiale, où les parents et les jeunes pourront recevoir aide et conseils en matière de sexualité et de problèmes familiaux.

E) *Un service en extension constante.* — Le service de PMI a commencé timidement il y a cent cinquante ans; l'organisation actuelle date de 1945 mais elle se complète et s'améliore chaque année.

Il s'agissait, il y a un siècle et demi, de protéger le travail des enfants (1838); puis surveiller les nourrices (loi Roussel 1874) et les femmes enceintes (1914), enfin, toute la période prénatale et jusqu'à 6 ans (1945).

Il s'agit aujourd'hui, au niveau des circonscriptions et secteurs de service social, le plus près possible de la vie des gens, de mettre à la disposition des enfants en bas âge et de leur famille, un service médical et social public, égalitaire et gratuit.

II. — Les vaccinations obligatoires

Les parents sont responsables de l'exécution des mesures de vaccinations obligatoires dont justification doit être fournie, notamment pour l'admission dans les écoles ainsi que pour l'admission dans les collectivités (crèches, pouponnières, colonies de vacances, etc.).

Ces vaccinations obligatoires sont les suivantes :

— vaccination antidiphtérique, avant l'âge de 18 mois (trois injections séparées d'un mois) avec rappel un an après;
— vaccination antitétanique, entre le 12e et le 18e mois (trois injections séparées d'un mois) avec rappel un an après;
— vaccination antipoliomyélitique, avant 18 mois (trois injections séparées d'un mois) avec rappel un an ou deux après suivant forme du vaccin;
— vaccination antituberculeuse BCG pour les enfants jusqu'à 6 ans placés en maison maternelle, crèche,

pouponnière, ou nourrice, les enfants vivant dans un foyer où réside un tuberculeux, les enfants d'âge scolaire.

Les vaccinations préventives, de la diphtérie, du tétanos, de la polio, sont fréquemment pratiquées en même temps par un seul et même vaccin DT Polio et fréquemment encore associées au vaccin anticoquelucheux, non obligatoire, mais recommandé. Cette vaccination est souhaitable dès le 3e mois.

III. — Les examens médicaux obligatoires

Il convient tout d'abord de noter que tout enfant est pourvu d'un carnet de santé délivré gratuitement par le maire lors de la déclaration de la naissance. Les enfants présentés dans les consultations de nourrissons de centres de PMI s'ils n'ont pas encore reçu ce carnet, en sont pourvus par les soins de cet organisme.

Le carnet de santé est laissé à la disposition de la mère ou de la personne qui a la garde de l'enfant. Il doit être présenté à chaque consultation de nourrissons et au médecin qui est appelé à domicile.

Quant aux examens médicaux préventifs obligatoires ils sont organisés par toute une série de textes législatifs et réglementaires complétés d'année en année en fonction des données sanitaires et démographiques de cette tranche d'âge.

Actuellement, tous les enfants doivent être soumis à des examens médicaux dont le nombre et la fréquence sont fixés comme suit :

A) *Neuf examens au cours de la première année de la vie se situant respectivement :*

— le premier avant le huitième jour;
— le deuxième avant la fin du premier mois;
— le troisième au cours du deuxième mois;
— le quatrième au cours du troisième mois;
— le cinquième au cours du quatrième mois;
— le sixième au cours du cinquième mois;
— le septième au cours du sixième mois;
— le huitième au cours du septième mois;
— le neuvième au cours du douzième mois.

B) *Trois examens au cours de la seconde année d'existence situés aux époques suivantes :*

— le premier au cours du seizième mois;
— le deuxième au cours du vingtième mois;
— le troisième au cours du vingt-quatrième mois.

C) *Un examen semestriel au cours des quatre années suivantes.* — Les examens subis :

— dans les huit jours de la naissance,
— au cours des neuvième et vingt-quatrième mois, donnent lieu à l'établissement d'un certificat de santé.

Ce certificat inséré dans le nouveau carnet de santé de l'enfant, comporte deux formules : d'une part, un certificat médical confidentiel adressé au médecin de PMI de la Direction des Affaires sanitaires et sociales, d'autre part, une attestation d'examen remise aux parents ou gardiens de l'enfant. Ceux-ci l'envoient à leur Caisse d'Allocations familiales qui ne leur verse les prestations qu'après réception de ce document.

Ainsi peuvent être précocement dépistées toutes anomalies, maladies ou infirmités mentales, sensorielles ou motrices, congénitales ou autres, ayant provoqué ou susceptibles de provoquer une invalidité ou inadaptation. Le certificat médical envoyé à la Direction des Affaires sanitaires et sociales (service de PMI) doit permettre de faire bénéficier les enfants ainsi dépistés de soins préventifs immédiats dans les centres de PMI ou d'hygiène mentale.

IV. — Quelle est l'efficacité de la protection de l'enfance mise en place par les DDASS ?

Il est toujours hasardeux d'évaluer l'efficacité d'un système de prévention médicale ou sociale, car il n'existe pas de rapports directs, objectifs et exclusifs entre les moyens de prévention mis en œuvre et les résultats obtenus :

En ce qui concerne la PMI, il existe toutefois un critère d'efficacité qui est l'évolution du taux de mortalité infantile. Le taux de mortalité infantile est le nombre de décès d'enfants de moins de 1 an pour mille naissances d'enfants vivants.

Lorsque le système actuel de PMI a été mis en place, en 1945, au lendemain de la guerre, il y avait 67 décès pour mille naissances d'enfants vivants. Ce taux est tombé à 21,9 ‰ naissances en 1965 à 14,5 ‰ en 1977 et à 10 ‰ dès 1979. Il était de 250 ‰ il y a un siècle au moment où fut très timidement amorcée la PMI (Loi Roussel).

Il va de soi qu'il sera difficile d'abaisser encore beaucoup « ce plancher » mais le rôle de la PMI a évolué. Il s'agit moins de lutter contre la mortalité infantile que de sauvegarder l'épanouissement affectif de l'enfant, car on sait que les chances d'équilibre de l'adulte dépendent directement des conditions de vie affective de l'enfant qu'il a été.

CHAPITRE II

L'ADAPTATION DE L'ENFANT PLACÉ

La première chose qu'apprend un enfant qui quitte sa mère, c'est la séparation. Adultes, nous savons bien qu'il n'est pas facile de nous séparer des gens que nous aimons : il nous faut mobiliser toute notre énergie affective, nos raisonnements et nos ressources pour y faire face. Trois choses nous aident en général à accepter une séparation. D'abord le fait de savoir qu'elle est provisoire : « on se retrouvera, on s'attend » — et c'est pour cela qu'une séparation définitive, un deuil, sont plus éprouvants. Puis la possibilité que nous avons, par le souvenir, de rendre présent quelqu'un qui n'est pas là, de se rappeler de lui, d'évoquer sa présence. Enfin cette capacité que nous avons de « penser à autre chose » et d'investir notre énergie ailleurs.

C'est cela aussi qu'un tout-petit va découvrir à sa manière.

Tant qu'il n'a pas compris que la séparation est provisoire, c'est un véritable deuil qu'il vit en ne retrouvant plus sa mère; il le manifestera à sa manière : ce peut être des pleurs, un refus de manger, de la difficulté à s'endormir; plus tard, de la mauvaise humeur, un retour en arrière qui le fera redevenir sale s'il était propre, se faire beaucoup câliner s'il commençait à devenir indépendant; ou bien encore, très inquiet, il se mettra à manger, manger beacoup, comme s'il avait peur de manquer; ou encore il pourra devenir « méchant », il aura besoin de casser... A nous alors de comprendre qu'il souffre. Pour l'aider, tant qu'il ne peut comprendre que la séparation est provisoire, il nous faut jouer sur les deux autres aspects à la fois : rendre présent l'univers connu et aimé par l'enfant, et l'intéresser à autre chose qu'il peut aimer. Tout petit, dans le berceau, l'enfant qui n'arrive pas à dormir retrouvera son univers si on peut le coucher comme sa mère le fait, lui donner le même jouet de la même façon, lui approcher un vêtement qui a l'odeur qu'il connaît et qu'il aime... A table, on l'installera comme il en a l'habitude, dans les bras, on le tiendra comme il aime... Il s'agit, comme dans le souvenir, de lui faire revivre ce qu'il connaît et ce qu'il aime — un peu de la présence de sa mère. Bien entendu, cela suppose que la personne qui s'occupe de lui ait suffisamment rencontré la maman avant de prendre l'enfant, pour connaître ses habitudes et l'univers où il est à l'aise.

Peu à peu, l'enfant se constituera un nouveau monde, de nouvelles habitudes où il se sentira à l'aise, et où il pourra s'intéresser à autre chose.

Les retours réguliers auprès de sa maman lui permettront aussi en grandissant de comprendre que la séparation est provisoire, et l'important sera alors de l'intéresser à autre chose, « en attendant » pour qu'il ne se replie pas sur lui-même et sur le souvenir de sa maman.

Chaque fois que c'est possible, une transition progressive aidera l'enfant à accepter la séparation : s'il connaît son nouveau lieu de vie, s'il a déjà trouvé quelques satisfactions avant de s'y retrouver il sera moins « perdu » quand cela arrivera; si la ou les personnes qui s'occupent de lui le connaissent déjà bien, si elles savent ses habitudes et ses petites manies, elles seront plus à l'aise pour le rassurer et le distraire; si la maman et elles se connaissent assez et savent que « ça se passe bien », elles sauront mieux comprendre l'enfant, et l'aider à tirer un bon parti de son mode de vie.

Les moments de passage de l'enfant entre la mère et son lieu de placement. — Deux moments sont très importants dans la journée d'un enfant placé : l'arrivée chez la personne ou l'institution qui le garde, et le départ.

Cela, dès le début, et même avec des enfants très jeunes. On croit souvent que cela n'a pas d'importance au début : dans son couffin, l'enfant dort ou ne se rend compte de rien, pense-t-on; et on commence à prendre les choses au sérieux quand il faut le réveiller tôt le matin pour l'habiller, ou quand il commence à faire des caprices. C'est vrai que plus l'enfant grandit, plus il perçoit de plaisirs et de désagréments dans sa journée. Mais plus l'enfant est petit, et plus les choses auxquelles il est sensible sont des détails pour les adultes; la manière de le tenir, de lui donner le biberon, de le changer, les caresses, les sourires... Toutes ces choses que « l'instinct maternel » fait faire sans comprendre, qui sont les gestes spontanés de la mère ou de la nourrice. Ce qui compte pour un tout-petit, c'est la qualité de ces gestes spontanés; c'est la nature de notre spontanéité. Les jours où nous sommes « spontanément » énervés, donc un peu plus brusques dans nos gestes, irréguliers dans nos sourires, ou impatients avec le biberon... Des jours où nous sommes détendus et disponibles : c'est cela qu'un enfant de quelques mois ressent. C'est de cela que dépend son bien-être — c'est-à-dire un peu du nôtre.

Une aide maternelle (puéricultrice, etc.) qui reçoit l'enfant le matin « en courant d'air » déposé comme une valise près de la porte, avec un bref commentaire : « Je suis pressée, bonne journée », ne commence pas sa journée de travail du même pied que celle qui aura rencontré un moment une maman attentive.

La propreté. — Nous vivons en un temps où tout doit être propre; il suffit de se rappeler ce qu'étaient les femmes d'autrefois... ou même les villes, pour avoir envie de faire une moue de dégoût. Avoir un enfant sale, avoir un appartement sale, c'est pour beaucoup un signe de laisser-aller.

Depuis qu'on a le souci d'être propre, les maladies

épidémiques se sont raréfiées et la mortalité infantile a diminué.

Pour un enfant — et pour les adultes qui l'entourent — devenir propre est un signe de progrès : « Il est grand maintenant, il se lave tout seul » fait suite au « il est grand, il ne fait plus pipi au lit » et « il est grand, il demande à aller sur le pot ». « Le moment où il sera propre » est un moment qu'on attend très tôt, comme on attend le moment où il mettra sa première dent, où il marchera, où il dira « maman ». « Laver les couches » (comme laver les casseroles) reste un des symboles du caractère ingrat des tâches ménagères, même à l'ère des couches à jeter.

Dans bien des maisons, on n'aime pas recevoir quelqu'un tant qu'on n'a pas fait son ménage... et en particulier l'assistante sociale, dont on pense qu'elle nous jugera mal si elle voit un lit défait ou un peu de poussière.

La propreté va souvent avec l'ordre : « Range tes jouets, et vas te laver les mains », « on range et on nettoie », « on met de l'ordre et on fait le ménage ».

Et à propos de la propreté et de l'ordre, on se méfie du jugement des autres : « Qu'est-ce qu'ils vont penser si ma maison n'est pas en ordre. » « Ils », c'est l'assistante sociale, ce sont les parents pour une assistante maternelle, c'est l'assistante maternelle pour les parents, c'est un peu tout le monde.

Chacun sait que la propreté, ça s'apprend : l'opinion commune est que si un enfant est sale, c'est qu'on ne lui a pas appris à se laver, à être propre. Gare à l'opinion qu'on aura des parents, ou de l'éducateur, ou de l'assistante maternelle dont les enfants sont sales!...

Les questions, pour nous, sont donc bien : Quelle propreté vont apprendre les enfants : la nôtre, ou bien celle de la crèche ou de l'autre famille où ils vivent ? Et comment vont-ils l'apprendre ?

La première question, bien sûr, ne trouve de réponse que par un accord entre les deux lieux de vie : ce ne sera pas l'un ou l'autre, ce sera ce sur quoi on peut tomber d'accord. C'est là un des points où une « professionnelle » n'élève pas nécessairement les enfants qu'elle garde comme elle a élevé les siens : après discussion, les choses qui lui paraissaient importantes pourront lui paraître secondaires : des choses qu'elle négligeait pourront prendre de l'importance. Et les parents peuvent évoluer de même en discutant avec les professionnelles de la petite enfance (puéricultrice, éducatrice de jeunes enfants).

Ici encore, il n'est pas nécessaire qu'on fasse la même chose à la crèche et à la maison : un enfant comprend sans problème ce qui se fait ici et ce qui se fait là; l'important est que dans chacun des lieux de vie on puisse considérer que ce qui se fait dans l'autre est bon, même si on n'en fait pas autant : c'est cela qui donne à l'enfant le sentiment d'harmonie dont il a besoin.

Sur la seconde question — comment l'enfant va-t-il apprendre la propreté — il faut aussi se mettre d'accord entre adultes : mais, si l'on peut dire, il faut se mettre d'accord avec l'enfant.

Par exemple pour apprendre à aller sur le pot : si on se met d'accord entre adultes pour mettre un enfant sur le pot à 7 ou 8 mois, il n'apprendra rien du tout, pour la simple raison que ses muscles ne sont pas assez forts pour retenir ou laisser partir quand il veut. C'est seulement vers 16 ou 18 mois que cela va devenir possible, et il faut bien en tenir compte : jusque-là, on l'indispose en pure perte.

Mais quand l'enfant pourra maîtriser ses muscles, il faudra aussi s'entendre avec lui. Parce que cette maîtrise, toute nouvelle, est pour lui un événement considérable et qu'il va, à partir de là, découvrir beaucoup de choses : il va d'abord trouver du plaisir à laisser partir, et du plaisir à retenir, alors que jusqu'ici il ne se rendait pas compte de ce qui se passait. Ce sera pour lui un jeu mais aussi une émotion très forte. Puis, très vite, il découvrira une autre émotion et un autre jeu : c'est que c'est lui qui peut décider s'il retient ou s'il ne retient pas; quoi qu'on lui dise, on ne peut pas le forcer, c'est lui qui décide. Puis une autre découverte : c'est que ce qu'il décide peut faire plaisir, ou au contraire irriter. « Si je fais caca dans le pot, maman ou ma nourrice sont contentes, si je fais à un autre moment, elles ne sont pas contentes; je peux décider de leur faire plaisir ou de les embêter. » Il faut donc bien aussi que les adultes composent avec lui... Et il faudra composer avec lui pour ranger les jouets ou pour se laver.

Les jeux. — Les enfant jouent. « Ils ont beaucoup de chance » pense-t-on : « Nous, on ne peut plus se le permettre, nous qui sommes pris par le travail, les choses sérieuses, et les obligations de toutes sortes. » Quand on a pris l'habitude de remplir ses journées en effectuant des tâches obligatoires, on se met à penser que le jeu, ça n'est pas sérieux. Grave erreur, il suffit de regarder jouer des enfants pour s'apercevoir que si le jeu entraîne des moments de rire et de détente, il comporte aussi des moments d'extrême sérieux, et des moments de tension et d'effort. Depuis le bébé qui fait l'effort, considérable pour lui, de tendre la main dans la direction précise du hochet jusqu'aux courses de mobylette entre adolescents.

Le jeu, pour l'enfant, c'est sérieux et c'est important. C'est depuis qu'on s'est aperçu de cela que la profession d'éducatrice de jeunes enfants est née. Les assistantes maternelles et les mères de famille, elles aussi, de plus en plus, entrent dans ce monde du jeu des enfants : c'est une manière de les comprendre et de les aider à grandir.

Il existe toutes sortes de jeux, spontanés ou organisés.

Les jouets que l'enfant se fait lui-même, ceux qu'on lui fait, et ceux qu'on lui achète sont tous des supports du jeu : ils sont faits pour aider l'enfant à jouer, et leur valeur, aux yeux de l'enfant, n'est pas la même qu'à nos yeux : un jouet qui coûte cher peut avoir beaucoup de valeur aux yeux de l'enfant, mais il peut aussi bien n'avoir aucune valeur pour lui. Le jouet qui a de la valeur aux yeux de l'enfant est celui qui « entre dans son jeu ». Par exemple, à un moment où un enfant joue à démonter des objets, un vieux réveil cassé aura beaucoup de valeur à ses yeux; une voiture très compliquée qui coûte très chère aura la même valeur pour lui : il aimera la démonter, même si elle n'est pas faite pour cela.

« Chaque âge a ses jeux » : à mesure que le corps grandit, que les muscles se développent et se coordonnent, que l'intelligence intègre de nouveaux processus, des jeux deviennent possibles et intéressants; d'autres perdent de leur intérêt. La difficulté est donc, le plus souvent, de trouver ce qui peut intéresser l'enfant et le développer à un moment donné; lorsqu'on est à court d'idées et qu'on achète des jouets, les marchands de jouets sont en général de bon conseil, si on leur explique qu'on n'est pas à la recherche du jouet le plus cher, mais de ce dont l'enfant a besoin.

Parmi tous les jouets des enfants, une place particulière doit être fait au « nounours » ou à la poupée, de préférence en peluche ou en chiffon, qui sont doux au toucher et que l'enfant « adopte » très tôt : à travers eux, l'enfant exprime beaucoup de lui et de ses sentiments; ils sont tour à tour cajolés, caressés, embrassés, battus, déchirés; on leur raconte des histoires, ils sont des confidents, des parents, des enfants... leur valeur est des plus grandes qui soit aux yeux des enfants, et la manière dont l'adulte traite cette poupée est souvent ressentie par l'enfant comme une manière de le traiter. C'est pourquoi, parmi les jouets qu'un enfant aime amener de sa maison à celle de l'assistante maternelle, et de là à sa maison, le « nounours » est souvent le plus chéri : si on l'oublie, si on le refuse, c'est un peu l'enfant qui se sent oublié ou refusé... et cela explique les gros chagrins qu'on rencontre dans ces moments.

Amener ses jouets à la crèche ou chez l'assistante maternelle est très important, dès le hochet qu'on laisse sur le berceau : c'est ce qui permet à l'enfant de maintenir une continuité entre ses deux maisons, de rester dans un monde connu — celui de ses jeux — de ne pas se sentir perdu.

Et, le matin et le soir, quand l'enfant change de maison, il se sentira autant compris et pris en compte si on parle de ses jeux, que si l'on parle de ce qu'il a mangé.

La vie quotidienne de l'enfant placé. — Deux lieux de vie, deux manières de vivre en famille : pour que l'enfant tire le meilleur parti de sa situation, il faudra que sa maman et son assistante maternelle s'accordent sur leurs manières de faire dans la vie quotidienne. Cela ne les amènera pas toujours à « s'y prendre de la même façon » : les capacités d'adaptation des enfants sont étonnantes. Mais cela les amènera à veiller à ce que l'enfant ne soit pas placé dans des situations aberrantes.

La nourriture. — C'est le premier souci pour les petits. Surveiller leur poids, s'entendre sur les heures des repas, sur les menus... Certains médecins conseillent de donner les biberons à heures fixes; d'autres pensent qu'il est meilleur d'attendre que le bébé manifeste sa faim : c'est un point sur lequel il est bon de s'entendre.

Mais les sentiments d'un tout-petit s'expriment souvent à travers son appétit : et l'appétit d'un enfant fait jouer les sentiments de ceux qui s'occupent de lui. Un enfant heureux de vivre mange bien — et pas trop — « c'est un plaisir de lui donner à manger ».

Un enfant mal à l'aise mange mal; un enfant anxieux ou avide mange trop; ils nous mettent mal à l'aise, nous font faire du souci, on les trouve « ingrats ».

Quand on change les habitudes d'un enfant, il est normal qu'il se sente mal à l'aise, et donc que son appétit varie. C'est aux adultes de veiller à ne pas ajouter leur propre inquiétude et leur propre malaise à ceux de l'enfant. Plutôt que de forcer un enfant à manger ou de le limiter d'autorité, il vaut mieux veiller à lui donner de nouvelles habitudes, régulières et rassurantes : son appétit se réglera de lui-même. C'est souvent quand on dramatise le moment des repas qu'on empêche l'enfant de se remettre à l'aise avec la nourriture et d'aborder ce moment avec la joie de vivre. On a franchi un grand pas le jour où on a compris qu'un enfant même âgé de quelques semaines, est assez grand pour savoir ce qu'il veut manger.

Reste aussi — et ce n'est pas une mince affaire — à accepter qu'un enfant mange aussi bien — ou mieux — avec une autre personne que soi-même.

Enfin il nous faut remarquer qu'il n'y a pas besoin de savoir parler pour comprendre qu'on peut « faire marcher » bien des adultes, et accaparer leurs soucis, en mangeant trop ou trop peu : il peut y avoir plus de plaisir à sentir qu'on se préoccupe de soi qu'à manger.

En règle générale, quand un enfant ne mange pas assez chez sa maman, ou pas assez dans son lieu de placement, on ne s'en sort pas tant qu'on n'a pas pu en parler ensemble et s'accorder sur les manières de faire : le plus souvent — mise à part la période d'adaptation — un malaise de l'enfant est le reflet d'un malaise entre les adultes, qu'on n'ose pas s'avouer.

Chapitre III

CHOISIR UN MODE DE GARDE

Les critères du choix

Que faire de ses enfants quand ils sont tout-petits ? Le placement actuellement disponible est-il le meilleur ? Il apparaît que bien des difficultés surviennent entre les professionnelles et les parents des enfants qu'elles gardent quand les parents n'ont pas réellement choisi le mode de vie de leurs enfants.

Mais avant d'envisager les choix que les parents ont à faire aujourd'hui dans ce domaine, il nous semble nécessaire d'analyser la manière dont cette question se pose actuellement.

Un problème nouveau. — Depuis qu'il y a sur terre de jeunes enfants, il est nécessaire de satisfaire leurs besoins pour qu'ils puissent grandir et cela incombe aux adultes. Aussi, l'intérêt qui se porte actuellement sur ce sujet, les inquiétudes qu'il inspire, posent question, comme nous le faisions remarquer au début de ce livre. Il semble, à première vue, que jusqu'ici la garde des enfants allait de soi et que, tout récemment, elle soit devenue un « problème ». Et on est parfois tenté de chercher des solutions en se tournant vers le passé pour y trouver des recettes.

Si la garde des enfants fait actuellement problème, c'est bien aux parents qu'elle fait problème d'abord parce que leurs modes de vie et leurs mentalités ont changé, ainsi que nous l'avons noté en première partie.

Des familles nouvelles. — Le principal changement dans la vie des familles, pour ce qui nous concerne ici, est sans doute l'évolution de la famille vers la famille nucléaire que nous avons déjà décrite, c'est-à-dire composée d'un noyau plus restreint qu'autrefois : de plus en plus, la famille est composée seulement des parents et des enfants mineurs et la proximité des grands-parents, des oncles, des tantes, des cousins est de plus en plus rare. Il va de soi que le modèle familial « patriarcal » qu'on connaissait autrefois résolvait la question de la garde des enfants d'une façon plus facile et plus souple : lorsque la mère devait s'absenter, il était considéré comme normal que la grand-mère ou une tante s'occupe des enfants; et elles étaient sur place pour le faire.

C'est la vie de famille telle qu'on la connaissait à la campagne où elle survit encore fréquemment : au moment des gros travaux saisonniers comme par exemple, les moissons, les vendanges, une partie des femmes reste à la maison pour préparer les repas, s'occuper du ménage et des jeunes enfants, pendant que les autres — avec les enfants plus grands — travaillent aux champs ou aux vignes. On trouvait cette vie de famille en ville aussi, autour des petites entreprises familiales de commerce ou d'artisanat.

Une autre répartition du temps de travail. — Un autre changement dans les modes de vie est lié au précédent : c'est que le travail se fait de moins en moins en famille et de plus en plus loin du lieu d'habitation : à la ferme, dans l'atelier artisanal ou dans le petit commerce, toute la famille intervenait à des titres divers et le logement était à proximité du lieu de travail. L'enfant pouvait rester avec ses parents ou près d'eux pendant leur travail.

Aujourd'hui, et de plus en plus, aller travailler, c'est laisser son logement et sa famille et se rendre seul ailleurs où on retrouve d'autres gens qui ont laissé leur logement et leur famille. Un enfant n'a plus sa place sur les lieux de travail, dès lors, il doit être « gardé ». C'est la conséquence d'une rupture entre la vie familiale et le travail.

Travailler c'est laisser son enfant ? — A partir de cette évolution, on comprend bien comment a pu naître le dilemme devant lequel se trouvent actuellement la plupart des jeunes mères : travailler, c'est laisser son enfant; rester auprès de son enfant, c'est renoncer à travailler.

On voit que la garde des enfants est devenue un problème crucial en raison d'une évolution globale de la vie sociale des adultes : cela peut donner à penser qu'on ne trouvera de solution réellement satisfaisante à ce problème que par une modification de notre vie sociale dans un sens plus adapté.

La place des enfants d'aujourd'hui... — Mais cette évolution des modes de vie qui amène les adultes à être durement partagés au sujet de leurs enfants, se double d'une évolution des mentalités. L'historien Philippe Ariès — dans *L'enfant et la vie familiale sous l'ancien régime* — a montré que chaque époque considère les enfants à sa manière. La place qui leur est faite actuellement peut être considérée à la fois comme importante et comme insuffisante.

Place importante des enfants : on sait maintenant l'importance du début de la vie, pour le corps et pour l'esprit.

... et la prise en compte de leurs besoins. — En évoquant le rôle de la PMI on a déjà noté que l'attention portée à cet âge a amené à réduire le taux de la mortalité infantile dans des proportions impressionnantes au cours des dernières décennies. Et cela n'est pas dû seulement aux progrès de la médecine : c'est aussi le résultat, à partir des connaissances médicales, d'une meilleure prise en compte par la société et l'ensemble des parents, des besoins des enfants; un travail important d'information et de formation s'est fait auprès de tous par les médecins de quartier autant que par les services sociaux et scolaires, les journaux et la télévision.

Pas de « solutions miracles ». — Mais on sait aussi maintenant que c'est pendant les premières années de la vie que se joue la personnalité, le caractère et l'équilibre psychologique de l'adulte. Sur ce point, l'évolution des connaissances a un effet plus obscur : si maintenant de jeunes parents savent mieux donner à leur enfant l'alimentation dont il a besoin, s'ils savent mieux réagir devant une diarrhée ou une poussée de fièvre, ces mêmes parents ne sont pas toujours aidés par ce qu'ils savent du développement psychologique de l'enfant : *les vulgarisations de la psychologie dans certains journaux ont souvent pour effet de rendre inquiet — plus que d'aider à entrer avec l'enfant dans une relation constructive.*

En fait, si les spécialistes ne peuvent indiquer « ce qu'il faut faire », c'est qu'il n'y a pas de solution miracle au problème, pas de « conduite à tenir » qui garantisse à tout coup le bon équilibre de l'enfant : quel que soit le mode de garde choisi, on peut obtenir les meilleurs et les pires des résultats. L'aide que peuvent apporter les sciences humaines pour choisir un mode de garde n'est pas d'indiquer ceux qui sont bons et ceux qui sont mauvais : il est d'attirer l'attention sur ce qui fait qu'un mode de garde sera ou non épanouissant pour l'enfant. C'est pourquoi, avant de passer en revue les différentes formules qui existent à l'heure actuelle, nous tenterons d'énoncer quelques principes qui peuvent guider le choix des parents.

Quelques critères pour guider le choix du mode de garde

1. **Des relations réelles avec les adultes.** — En tête des besoins de l'enfant, nous plaçons celui qui est la clé de tous les autres, parce qu'il permet de les satisfaire mais aussi d'estomper les conséquences de toutes les failles qui se glissent toujours dans leur satisfaction : *Le jeune enfant a d'abord besoin d'être en relation avec des adultes.*

Nous entendons d'être *réellement* en relation, c'est-à-dire que quelqu'un, dans son entourage, ait réellement du plaisir à être avec lui, à communiquer, à jouer, à l'entendre, lui répondre et le stimuler. C'est en réponse au plaisir qu'on éprouve à être avec lui que, dès le début, l'enfant prend le goût de la vie et trouve le plaisir de communiquer, d'une façon toujours plus élaborée. C'est habituellement, au début, le rôle de la mère, mais ce peut être aussi celui de toute autre personne pour qui il est réellement unique.

2. **Un climat stable et sécurisant.** — Le second point sur lequel il est nécessaire de porter son attention, c'est le climat de sécurité dont l'enfant a besoin. Ce climat découle en partie du point précédent : des parents eux-mêmes en sécurité ne seront pas angoissants avec leur enfant.

Mais le sentiment de sécurité de l'enfant vient aussi d'une certaine régularité de vie. Ici, il nous faut avoir à l'esprit que l'univers que perçoit l'enfant n'est pas le même que le nôtre : il n'entre que progressivement dans notre monde, à mesure qu'il se développe. Et chaque situation nouvelle pour lui, chaque chose qu'il découvre, demande qu'il s'y adapte : on le voit par exemple apprivoiser progressivement le bruit du hochet, qui au début l'intrigue ou lui fait peur, avant qu'il ait du plaisir à l'agiter. Et quand ce hochet est entré dans son monde, il en a besoin : c'est pour lui une sécurité, quelque chose de stable qui existe pour lui; il ne s'en désintéressera que quand il aura trouvé d'autres repères rassurants. L'enfant trouve donc sa sécurité à travers des objets; il la trouve aussi à travers des manières de faire : la manière de le porter, de lui donner à manger, de le langer, etc.; puis à travers des personnes.

Chaque changement de lieu ou de mode de garde est une situation nouvelle : les personnes, les manières à faire, les objets sont nouveaux. Chaque fois, l'enfant doit donc s'adapter. Chaque fois, il peut le faire dans la mesure où il reste en sécurité, et chaque fois cela lui demande aussi du temps et de l'énergie. Les *changements fréquents* et surtout les *changements brutaux* sont donc *néfastes*, dans la mesure où ils ne respectent pas le rythme d'adaptation de l'enfant.

3. **L'alternance du maternage et de la socialisation.** — « Maternage » et « socialisation » sont deux grands mots qu'on utilise souvent pour justifier le mode de garde qu'on choisit pour son enfant : des mères qui ont choisi de rester au foyer ou de confier leur enfant à une nourrice pensent que le « besoin de maternage » de leurs enfants sera mieux satisfait de cette façon; des mères qui ont choisi de confier leur enfant à une crèche ou une garderie pensent que la « socialisation » de l'enfant se fera mieux ainsi, s'il a très tôt l'expérience d'une vie avec d'autres enfants.

Mais c'est une erreur que d'opposer l'un à l'autre ces deux modes de relation : non seulement ils sont tous les deux nécessaires à l'enfant, mais *ils ne sont possibles que l'un par l'autre*.

CHAPITRE IV

LES DIFFÉRENTS MODES DE GARDE

On examinera les différents modes de garde en les regroupant en trois catégories :

— la garde au domicile des parents (I);
— la garde chez un particulier (II);
— et enfin, la garde dans une collectivité (III).

I. — La garde au domicile des parents

Trois formules sont possibles dans ce mode : la garde la plus simple, celle par la mère au foyer *(a)*, la plus « familiale » : la garde par une grand-mère ou une parente proche *(b)*, enfin, la plus coûteuse : l'emploi d'une personne salariée au domicile des parents *(c)*.

1. **La garde par la mère.** — Pour une mère, le choix de rester au foyer se fait pour des raisons de différents ordres : économiques, pratiques et socioculturelles. Parfois, elles se renforcent et parfois elles se contredisent. Elles sont en général complexes et mêlées, et nous ne les distinguons ici que pour clarifier leur analyse.

Raisons économiques : faire ses comptes. — Et d'abord, il faut faire ses comptes. Il est rare qu'on se décide pour cette seule raison, mais c'est un élément souvent contraignant.

La possibilité de rester au foyer n'est pas, contrairement à ce que l'on pense parfois, un privilège de riches : on constate qu'avec des ressources identiques il est des ménages où il semble indispensable d'avoir un second salaire, et d'autres où il paraît pour la mère de famille plus rentable de rester au foyer.

En l'absence d'un salaire pour les mères au foyer, il est vrai que *les ressources de la famille sont plus réduites dans cette situation. Mais il est vrai que les dépenses le sont aussi :* pour les jeunes enfants, l'économie réalisée sur les frais de « garde » est importante, surtout lorsqu'on a plusieurs jeunes enfants. Les impôts sont moins importants. Le budget « alimentation » de la famille peut être réduit presque de moitié, dans la mesure où on dispose de temps pour acheter dans de meilleurs conditions et pour cuisiner. Le budget « vêtements » peut être également réduit, avec un meilleur entretien et la possibilité d'en confectionner soi-même. L'aménagement et l'entretien de la maison ou de l'appartement peuvent aussi se faire à moindre frais. Celles qui ont un jardin peuvent aussi en tirer parti. Enfin, pour beaucoup, le fait de rester chez soi permet de faire l'économie d'une voiture (ou d'une seconde voiture).

Un élément déterminant, du point de vue financier, est *la qualification professionnelle de la mère de famille :* une des principales inégalités, actuellement, entre les hommes et les femmes, réside dans le fait que peu de femmes ont une qualification professionnelle qui leur permette d'espérer un salaire confortable si elles travaillent hors de chez elles. En restant au foyer, la plupart des femmes ne perdent qu'un salaire voisin du SMIC alors que les femmes médecin, ingénieur ou avocat perdent davantage.

Quel que soit leur désir de rester au foyer ou de travailler, beaucoup de femmes travaillent après leur mariage jusqu'à la naissance du second ou du troisième enfant, et restent ensuite au foyer, au moins pendant quelques années, pour des raisons financières... mais aussi pour des raisons pratiques.

Elle y trouve un rythme de vie plus humain. — Etre au foyer n'est en effet pas rester sans rien faire : si les travaux ménagers et l'éducation des enfants ne sont pas rémunérés lorsqu'ils sont faits par la mère de famille, ils n'en sont pas moins du travail. Ils demandent de l'intelligence, de l'énergie, du temps. Ils entraînent de la fatigue, physique et nerveuse. Ils ont leur part de routine et d'ennui. Ils donnent leurs satisfactions propres.

A tel point que *la femme qui travaille à l'extérieur fait le plus souvent une deuxième journée de travail,* chez elle, le matin, le soir et pendant les jours dits « de repos ». Rester au foyer est pour beaucoup de femmes la possibilité d'avoir *un rythme de vie plus acceptable et plus humain.*

Raisons socioculturelles : le choix d'un mode de vie familiale. — Car le choix de rester au foyer ou de travailler, à travers les aspects matériels, économiques et pratiques, est *un choix de mode de vie familiale;* c'est un choix qui met en jeu les rôles de chacun dans la famille, l'identité de la femme et celle de l'homme, les relations de couple et les relations parents-enfants. C'est à travers un choix comme celui-ci que chacun vit une situation familiale qui devient aussi un problème social et culturel.

On a l'habitude d'opposer deux modèles familiaux :

— dans l'un, qu'on considère comme traditionnel, la femme épouse et mère, porte les valeurs et les travaux de l'intérieur : elle est « maîtresse de maison », « femme d'intérieur », tandis que le mari, s'il n'est plus guerrier, reste celui qui, à l'extérieur, se bat en travaillant pour apporter les ressources nécessaires;
— dans l'autre, qu'on considère comme « moderne » ou « émancipé », la femme est « l'égale » de l'homme, elle a « droit au

travail » à l'extérieur, tandis que l'homme doit participer à égalité aux travaux ménagers et à ce qui se passe à l'intérieur de la maison.

Nous présentons ici ces modèles d'une façon un peu caricaturale; ils le sont souvent dans la réalité. Ils traduisent la perception que l'on a d'une évolution de la vie familiale et des rôles de l'homme et de la femme.

Historiquement, ils sont très contestables, ne serait-ce que parce que le pourcentage des femmes qui travaillent n'a augmenté d'une façon significative que très récemment, et dans des proportions beaucoup moins importantes qu'on ne le pense en général.

Mais ils sont plus contestables encore dans leurs conséquences : c'est en raisonnant avec ces modèles qu'on est conduit à une impasse : des femmes au foyer se vivent comme « traditionnelles », non émancipées, et sont obligées de « revaloriser » leur position de mères au foyer, parce qu'elles se croient « dévalorisées ». Et des femmes qui travaillent à l'extérieur se vivent comme « mauvaises mères » — et mauvaises épouses — « abandonnant » leurs enfants et leur mari.

On oublie trop vite qu'à la ferme ou dans l'atelier artisanal, où vivait la majorité de la population française de naguère, la femme travaillait avec son mari : ce qui est « moderne », c'est qu'on travaille loin de chez soi, et dans de grandes entreprises qui ne sont plus familiales.

Plutôt que de se situer en « traditionnels » ou « modernes », il nous semble préférable de rechercher le mode de vie qui permet un maximum de satisfaction. Nous entendons « satisfaction » dans le sens d'une disponibilité d'esprit, d'une possibilité d'échanges privilégiés et riches entre les membres de la famille.

2. **La garde par un membre de la famille** (grand-mère, tante). — La garde des enfants par la famille est encore très répandue. Historiquement, c'est une

formule tout aussi traditionnelle que la garde par la mère au foyer. On peut même considérer que la garde d'enfants est devenue un « problème » depuis que les enfants ne sont plus pris en charge collectivement par une large communauté familiale.

A) *C'est apparemment plus facile.* — Il est encore des familles où l'on vit très proches, après le mariage, auprès des parents, entre frères et sœurs. Lorsqu'une jeune mère s'absente, les enfants sont très simplement pris en charge par les autres membres de la communauté familiale : ils restent ainsi, comme d'habitude, avec leurs frères, sœurs et cousins; souvent, ils n'ont pas même à changer de maison et de cadre de vie; les adultes qui les entourent restent les mêmes que d'habitude. L'absence de la mère n'oblige pas l'enfant à un gros effort d'adaptation sauf à certains âges, qui sont des périodes sensibles (en particulier entre 6 et 10 mois).

B) *Mais il peut surgir des difficultés pour s'entendre.* — Il est des parents qui souhaiteraient confier les enfants à leurs propres parents et qui ne peuvent pas le faire pour des raisons matérielles (trop grande distance, indisponibilité des grands-parents).

Mais il en est aussi qui ne le souhaitent pas : il en va de l'autonomie du jeune ménage et des conceptions éducatives de chacun.

L'autonomie des parents est en effet compromise, parfois, par une grand-mère plus ou moins envahissante, qui revit avec ses petits-enfants ce qu'elle a vécu avec ses propres enfants vingt ou trente ans plus tôt, sans toujours faire la différence : ses petits-enfants ne sont pas ses enfants, et toutes les grands-mères ne savent pas s'effacer devant les parents comme ceux-ci le souhaiteraient. Il convient d'ajouter que la grand-mère étant la mère soit du père soit de la mère, la situation n'est pas vécue de la même façon par l'un et par l'autre, ce qui joue donc aussi sur les relations du couple.

Là encore, il va de soi que ce qui est premier pour l'enfant est de vivre dans un climat serein, détendu et disponible.

Les conceptions éducatives sont aussi, souvent, divergentes entre les parents et les grands-parents. En règle générale, on souhaite reproduire avec ses propres enfants certains aspects de l'éducation qu'on a reçue, mais on souhaite aussi en modifier d'autres. Les grands-parents sauront-ils élever l'enfant en accord avec les parents ? C'est certainement une question importante à se poser avant de choisir ce mode de garde.

C) ... *Aussi bien pour la « gardienne » que pour la mère.* — On le voit, pour être parfois séduisant et sûr, ce mode de garde demande aussi à être pesé et réfléchi. S'il fonctionne parfois très aisément il peut aussi entraîner des difficultés pour tous — grands-parents, parents, enfants.

La grand-mère qui envisage de prendre régulièrement en charge ses petits-enfants aura à penser à sa résistance physique et nerveuse, ainsi qu'au respect des désirs et de l'autonomie de ses enfants.

3. La garde par une personne salariée au domicile des parents.

A) *Des conditions sociales privilégiées.* — L'accès à ce mode de garde est réservé aux familles dans lesquelles la femme a une compétence professionnelle telle que les ressources de son travail peuvent couvrir le salaire d'une « employée de maison ». Il est pratiqué plus fréquemment dans les ménages où l'on exerce des professions libérales, ainsi que chez les commerçants et artisans. Son prix n'est cependant pas plus élevé que celui de la garde par une nourrice privée dès qu'on a plusieurs jeunes enfants à garder.

B) *La confiance est nécessaire.* — Après le coût de ce mode de garde, la première difficulté qu'il entraîne est de trouver une personne en qui on ait toute confiance. S'il est possible d'accepter que le ménage, le repassage ou la cuisine ne soient pas réalisés exactement comme on a l'habitude de les pratiquer soi-même, il est plus difficile de l'accepter pour l'éducation des enfants. Certes, la difficulté qu'il y a d'admettre qu'on s'occupe différemment de son enfant est constante quel que soit le mode de garde; mais elle est peut-être plus aiguë ici, du fait que l'enfant reste à la maison et qu'on choisit en général ce mode pour lui donner un maximum de continuité de vie.

Il est d'autant plus difficile de trouver une personne en qui on ait confiance qu'il est difficile de trouver tout simplement une personne qui accepte ce genre de travail. Tout un courant dévalorise actuellement les travaux ménagers; les personnes qui cherchent une employée de maison le savent bien par leur propre expérience. Si bien qu'à salaire égal, beaucoup de femmes préfèrent un emploi de bureau ou d'usine qui leur permet de sortir de l'univers des travaux ménagers... qu'elles doivent aussi effectuer chez elles. Le temps où les jeunes filles de milieu modeste ou de « l'assistance publique » étaient « placées » dans les familles bourgeoises est de plus en plus révolu. Les jeunes filles qui travaillent cherchent aussi à sortir de l'univers de la maison.

C) *La condition de l'employée de maison.* — En pensant aux questions qui se posent pour les nourrices, au moment où elles deviennent des salariées, on peut souligner le point suivant : la place de l'employée de maison, par rapport à la mère de l'enfant, porte peu à confusion. La tendance à se substituer à la mère est davantage canalisée dans cette situation, parce qu'il existe entre elle et la personne qui s'occupe de l'enfant une relation d'employeur à professionnel : on a moins tendance, avec cette formule, à nier le fait que la personne qui garde les enfants fait un métier et gagne sa vie.

D) *Le rôle des haltes-garderies.* — D'un point de vue plus strictement éducatif, on n'a pas toujours, avec ce mode de garde, un grand souci de la vie sociale des enfants, et le fait d'être restés surtout à la maison les prépare peu à l'entrée à l'école, ce qui rend parfois la transition trop brutale. La rencontre d'autres enfants dans les jardins publics, les haltes-garderies ou les lieux de vacances peuvent ménager une découverte progressive des autres enfants et de la vie avec eux, à condition qu'on s'attache à favoriser ces rencontres.

II. — La garde chez un particulier

Les trois quarts des enfants qui sont placés à la journée le sont dans un milieu familial : cela situe l'importance de ces modes de garde.

Nous envisagerons :

a) Les caractéristiques communes à ces formules avant de relever;

b) Les caractéristiques propres au placement :

1) chez une nourrice privée agréée,
2) dans une crèche familiale,
3) chez une nourrice non agréée.

1. **Caractéristiques communes.** — *Une assistante maternelle...* — La première caractéristique de ces modes de garde est le fait que l'enfant est confié à une nour-

rice, qu'on souhaite chaleureuse, douce, rassurante, attentive... et en un mot *maternelle*. De là vient toute la richesse et toute la difficulté de ces situations. La nourrice est un peu une seconde mère.

Elle exerce auprès de l'enfant le rôle qu'on considère habituellement comme celui de la mère : donner à manger, changer, bercer, soigner, dorloter, calmer, apprendre à marcher, à parler, caresser, etc. Tout cela pendant que la maman n'est pas là, c'est-à-dire pendant un temps important de la vie de l'enfant. Or, ces gestes, ce rôle, ne se font pas sans une communicaation intense avec l'enfant; ils ne se font pas sans que se développe un lien affectif entre l'enfant et la nourrice.

... qui est donc bien l' « assistante » de la mère... — Le terme d' « assistante maternelle » irrite un peu parce qu'on n'aime plus tellement le mot d' « assistante », qui implique une certaine dépendance de celui qui est assisté par rapport à celui qui l'assiste. Des mamans se disent avec raison qu'elles n'ont pas besoin d'être « assistées ».

Mais si on pense aux « médecins assistants des hôpitaux », qui font tout ce qu'il faut pour que le médecin chef de service fasse efficacement son travail, ou aux « assistants » des universités, dont la fonction doit être d'assurer toute une préparation et toute une suite à l'enseignement des professeurs, le terme d'assistante maternelle dit quelque chose de juste sur la situation : par rapport à la mère d'un enfant, la nourrice est celle qui ne la remplace pas mais qui, par les liens qu'elle établit avec l'enfant, *prépare et poursuit la relation de la mère et de son enfant, pour que celui-ci se développe au mieux.*

... à deux conditions indispensables. — Si c'est bien dans cet esprit qu'une mère recherche une nourrice, et si elle trouve une nourrice qui conçoit bien ainsi son travail, il reste au moins deux conditions à remplir pour que la garde de l'enfant se fasse dans de bonnes conditions :

Une harmonie suffisante doit exister entre les deux familles, en particulier dans la manière d'aborder l'éducation des enfants.

Quand on observe la manière dont les familles élèvent leurs enfants, on s'aperçoit qu'il y a une diversité inépuisable de manières de faire : tel geste qui est important ici passe là inaperçu; tel mot tabou ici est permis là, alors que l'inverse est vrai pour un autre mot; ce qui à certains passe pour le signe d'une éducation réussie passe ailleurs pour une marque de laxisme ou de rigidité. La manière d'élever l'enfant n'est donc jamais exactement la même entre deux familles. Pour que mère et nourrice puissent être complémentaires l'une de l'autre, il faut donc pouvoir trouver un minimum d'harmonie sur ce qui semble important et sur ce à quoi on tient.

Et une tolérance certaine. Cette harmonie, qui n'est jamais totale, se réalise en fonction de la tolérance que peuvent avoir la mère d'une part et la nourrice d'autre part : chez sa nourrice, l'enfant est dans un autre lieu, avec d'autres personnes, et il serait vain de vouloir qu'il retrouve un univers identique à celui de sa famille. C'est cette différence même, dans la mesure où elle est bien acceptée, qui peut être pour lui un stimulant de sa bonne adaptation et de son développement.

A) *Dans la pratique, il faudra donc bien choisir l'Assistante maternelle.* — En disant cela, nous considérons, bien sûr, qu'on ne peut pas penser dans l'absolu qu'une nourrice est une « bonne nourrice » pour tout le monde, ou qu'elle est une « mauvaise nourrice » pour tout le monde. Le fait qu'elle soit agréée garantit qu'elle a un certain nombre de qualités, mais ne garantit jamais que les parents pourront s'entendre avec elle, et que par conséquent l'enfant y trouvera son compte. Il est bien de la responsabilité des parents de confier leur enfant à une personne qui présente assez de garanties du point de vue matériel et médical; mais il est aussi et surtout de leur responsabilité de confier leur enfant à une personne en qui ils ont confiance, dont ils acceptent les différences, et avec qui ils ont toutes chances de pouvoir s'entendre. Personne ne peut faire à leur place ce choix-là.

B) *Rechercher un cadre de vie proche de celui de la famille.* — Une autre caractéristique de la garde d'enfant chez une assistante maternelle est que l'enfant retrouve chez sa nourrice un cadre de vie assez voisin de celui qu'il a dans sa famille : la présence d'un adulte stable et disponible, un rythme de vie marqué par les mêmes activités, les mêmes bruits, des objets semblables.

C) *Veiller à l'éveil de l'enfant par la vie quotidienne.* — Les possibilités d'éveil d'un enfant ne sont pas moins importantes chez une assistante maternelle que dans un cadre plus « spécialisé », mais elles sont différentes. Par éveil de l'enfant, on entend généralement le développement de ses capacités, la connaissance de son corps, la possibilité de s'exprimer, l'étendue de son vocabulaire, l'acquisition de certains mécanismes de l'intelligence... A la suite des découvertes du processus de développement de l'enfant par la psychologie, un certain nombre d'activités qui favorisent ce développement sont pratiquées dans les pouponnières, les crèches et autres lieux de garde par des personnels spécialisés. A partir de là, certains pensent que dans un cadre « familial », l'enfant ne connaîtra pas le même développement de ses possibilités et le même éveil.

Cette objection demande à être prise au sérieux. Les institutrices des écoles maternelles constatent effectivement que, lorsque les enfants arrivent dans leurs classes, ils ont plus ou moins de difficultés à s'adapter à la vie avec d'autres (nous allons y revenir); mais aussi qu'ils entrent plus ou moins facilement dans les activités qui leur sont proposées, selon qu'ils y ont été plus ou moins préparés.

D) *Favoriser la rencontre avec d'autres enfants.* — Parmi les découvertes que fait progressivement un enfant, il y a celle des autres enfants. On peut souhaiter, surtout pour un petit, que la nourrice soit la plus disponible possible et par conséquent ne garde pas d'autre enfant que le sien. Mais on n'oubliera pas non plus tout ce que l'enfant peut apprendre par la vie avec d'autres, plus grands ou plus petits, et dès les premiers mois de sa vie. La jalousie vis-à-vis des autres, l'envie de leurs jouets, la nécessité de s'affirmer en face d'eux, sont des expériences difficiles pour le petit, mais qu'on ne peut lui éviter.

E) *Eviter les changements trop fréquents.* — Nous avons évoqué plus haut le processus par lequel un enfant progresse à travers les découvertes qu'il fait quand il est en sécurité, et la nécessité pour lui d'avoir des repères stables et rassurants. La relation avec une nourrice est habituellement une relation des plus rassurantes pour l'enfant. Le fait que ses journées se passent pour l'essentiel avec un seul adulte qui prend le temps de s'occuper de lui, fait que le lien qui s'établit avec la nourrice devient rapidement un lien très fort et important pour lui. Un changement de nourrice a donc d'autant plus d'importance, et il ne peut être envisagé à la légère. C'est pour cette raison qu'il est indispensable de prendre du temps pour choisir la nourrice, à l'avance, et pour ne confier l'enfant qu'avec un maximum de certitude qu'on pourra être en confiance avec elle.

F) *Rechercher des conditions matérielles acceptables.* — Les conditions matérielles de la garde de l'enfant sont différentes selon les formules de garde chez un particulier. Mais d'une façon générale, on peut signaler leur importance : on sera plus satisfait, parfois, de telle nourrice qui habite tout près de chez soi et avec qui on trouve des aménagements d'horaires plus faciles que de telle autre, qui correspondrait mieux à ce que l'on souhaite, mais qui habite trop loin ou demande trop cher.

La distance du domicile des parents peut être un élément important : on peut souhaiter avoir affaire à une voisine de palier ou d'immeuble, parce qu'il est plus facile de modifier les horaires de garde, ou au contraire, on peut souhaiter garder une certaine distance.

Enfin, le prix que demande la nourrice est-il assez élevé pour justifier qu'elle passe du temps avec l'enfant, qu'elle ne se contente pas de le « garder »; et assez bas pour qu'on puisse le payer sans se mettre dans une situation difficile et sans avoir l'impression d'être volé ?

... Toutes questions qu'il faut encore se poser *avant* de se décider.

2. Les caractéristiques propres à chaque formule

A) *L'assistante maternelle agréée « privée »* (1). — Légalement, c'est la formule que l'on devrait trouver partout où des enfants sont gardés habituellement hors de leur famille, quand il n'y a pas d'équipement pris en charge par la collectivité.

(1) Voir chapitre VII de la deuxième partie.

« *L'agrément* » *de l'assistante maternelle.* — L'agrément a été mis en place, dans un premier temps, pour garantir que les conditions médicales et sanitaires de la garde des enfants étaient suffisantes. Une surveillance médicale régulière des « nourrices », et des visites régulières de leur domicile par le service de protection maternelle et infantile garantissait aux parents que leur enfant n'était pas menacé, chez une nourrice agréée, par une maladie contagieuse (tuberculose, syphillis), et que les conditions d'hygiène du logement (aération, propreté...) ne faisaient pas courir de risque à leur enfant. L'agrément des « nourrices » était un des éléments d'une large politique de lutte contre la mortalité infantile.

Depuis le statut de 1977, l'agrément porte aussi sur les conditions éducatives de la garde de l'enfant, et sur l'hygiène physique et *mentale.* On peut se réjouir de cet élargissement de l'agrément ou le craindre. Il importe aux parents de savoir ce qu'ils peuvent en attendre.

Le coût du placement chez l'assistante maternelle. — Le coût de la garde d'enfant par une nourrice agréée privée est *pour les parents la plus élevée qui soit* (après la garde par une employée de maison si on n'a qu'un enfant en bas âge). C'est pourtant, en valeur absolue, le mode de garde le moins coûteux. Mais la collectivité qui intervient pour le financement de tous les autres modes de garde à l'extérieur de la famille ne prend ici en charge que les services de PMI qui donnent l'agrément.

Le salaire de l'assistante maternelle, pour lequel il n'est fixé qu'un minimum légal, devra désormais couvrir les impôts que l'assistante maternelle aura à payer sur ce revenu; de plus, les charges sociales sont relativement importantes. Pour pouvoir verser à l'assistante maternelle un salaire décent, qui corresponde à son travail, il faut donc que les parents aient eux-mêmes des ressources suffisantes. *Sur ce point, on peut craindre que le nouveau statut des assistantes maternelles ne soit concrètement applicable qu'au bénéfice des enfants dont les parents ont des ressources importantes; les autres, tant qu'il n'y a pas de place dans des équipements pris en charge par la collectivité, devront se contenter de la garde « au noir », chez des nourrices qui ne présentent pas forcément de garanties et qui n'ont pas droit à une formation.*

Une formule simple et adaptable. — Tout en faisant bénéficier des garanties de l'agrément, ce mode de garde présente un maximum de souplesse pour les horaires et les conditions de la garde; aucune réglementation ne limite la possibilité d'aménager et de modifier les horaires et les jours de garde, par un accord entre les parents et l'assistante maternelle.

Cette qualité est particulièrement appréciée par les mères qui travaillent à temps partiel et par les enseignantes. L'indemnité d'absence d'enfant garantit à la nourrice les ressources auxquelles elle a droit, et les parents peuvent adapter leur rythme de vie aux événements familiaux et au rythme de leur travail, même lorsqu'il n'est pas très régulier.

Des relations avec l'assistante maternelle qui doivent être claires. — Nous avons vu que le coût de ce mode de garde peut mettre en difficulté des parents aux ressources modestes ou moyennes; qu'il peut aussi amener à rémunérer la nourrice d'une façon insuffisante. Les relations entre assistante maternelle et parents ont alors toutes chances d'être tendues, et il y a lieu de faire pression pour qu'une crèche familiale, ou un équipement collectif, soit créée partout où cette situation se présente.

B) *La crèche familiale.* — C'est un équipement qui cherche à limiter les inconvénients du mode de garde précédent, tout en conservant sa caractéristique principale : l'enfant est confié à une assistante maternelle agréée par la PMI.

Son coût (2). — Si la difficulté majeure qui nous est apparue en examinant la garde d'enfants par une assistante maternelle agréée est le coût que cela entraîne pour les parents, la crèche familiale donne une réponse appropriée à cette question.

En effet, dans cette situation, le salaire de la nourrice et les charges sociales correspondantes ne sont pas versés par les parents : une association subventionnée, ou une municipalité aidée de la Caisse d'Allocations familiales, assure le paiement de ces frais; et les parents de l'enfant gardé versent une participation proportionnelle à leurs ressources (selon leur quotient familial). Le reste des frais est pris en charge par la collectivité : principalement les municipalités et les CAF.

La compétence et l'encadrement du personnel. — Mais la crèche familiale présente aussi d'autres avantages. Outre les assistantes maternelles, elle emploie aussi d'autres personnels compétents : au moins une puéricultrice et, souvent aussi, une éducatrice de jeunes enfants. Ces personnels rendent régulièrement visite aux assistantes maternelles, et bien souvent aussi les réunissent. Un maximum de soutien est ainsi donné aux assistantes maternelles dans leur travail, et leur compétence s'en trouve rapidement accrue.

Le règlement intérieur de la crèche familiale. — Cependant, dans la mesure où il s'agit d'un équipement pris en charge par la collectivité, les possibilités d'entente directe entre les parents et l'assistante maternelle sont généralement limitées. Avant de se décider pour ce mode de garde, les parents doi-

(2) Voir chapitre VI de la deuxième partie : « Les financements ».

vent lire attentivement le règlement intérieur de la crèche.

Les relations avec l'assistante maternelle. — Ces relations ne sont pas, en crèche familiale, des relations d'employeur à employé. Elles peuvent davantage ressembler à celles qui existent entre les parents et les institutrices d'école maternelle, ou le personnel des crèches collectives. On peut parler de l'enfant sans que les questions d'argent interfèrent directement.

C) *Une nourrice non agréée.* — L'agrément des nourrices est obligatoire, et il est interdit de confier son enfant à une nourrice non agréée. On estime pourtant que moins d'une nourrice sur deux (ou sur trois, selon les estimations) est agréée. Ce serait donc adopter une politique de l'autruche que de passer sous silence ce mode de garde qui est pratiqué pour 5 ou 10 fois plus d'enfants que la crèche collective.

On utilise ce mode de garde pour des raisons très différentes, et les conséquences en sont également très différentes.

Il y a surtout des raisons d'économie : nous avons vu que la garde par une assistante maternelle privée est le mode de garde le plus coûteux pour les parents. Lorsqu'une jeune mère de famille n'a pas de qualification professionnelle, elle ne peut espérer, en travaillant, gagner un salaire important. Quand il n'existe pas d'équipement lui permettant de verser une participation proportionnelle à ses ressources, ou quand ces équipements sont complets, elle n'a pas d'autre possibilité que de chercher le moyen de faire garder son enfant au moindre coût. En prenant une nourrice non agréée, elle économise les charges sociales; de plus, un certain nombre de nourrices non agréées demandent moins cher que leurs collègues agréées dans le même quartier, puisqu'elles font l'économie des impôts. Cette situation est celle d'un grand nombre de familles modestes; c'est celle de beaucoup de mères célibataires et de mères isolées. On touche ici du doigt le manque crucial d'équipements pour les petits enfants.

Et on s'aperçoit que le statut des assistantes maternelles, dans ce qu'il a de positif, risque de profiter aux plus favorisés en laissant de côté ceux qui auraient le plus besoin d'être entourés de personnes compétentes pour s'occuper de leurs enfants.

III. — La garde dans une collectivité

La garde collective des petits enfants est beaucoup moins répandue que la garde individuelle. Si environ 200 000 enfants de moins de 3 ans fréquentent l'école maternelle, on n'en trouve pas 60 000 dans des crèches collectives (alors qu'ils sont, rappelons-le, près de 2 400 000).

1. **La théorie. La garde collective : ses avantages.** — Le souci de donner à un jeune enfant une vie collective repose sur plusieurs raisons :

A) *Il y a moins de risque de substitution aux parents.* — La première — la plus répandue — est sans doute qu'on craint moins, quand l'enfant est en collectivité, que les personnes qui s'occupent de lui se substituent aux parents : elles sont plusieurs, elles, à veiller sur plusieurs enfants; les relations que les enfants établissent avec elles semblent donc moins exclusives. Des parents disent : « Mon enfant s'attache à sa puéricultrice comme à une institutrice, *pas plus.* » Ce que l'enfant vit, dans un lieu de garde collective, est très différent de ce qu'il vit en famille. A partir de là, on craint moins que cela se substitue, dans son esprit, à sa vie en famille; c'est pour lui une expérience différente.

B) *Le personnel est spécialisé.* — La compétence du personnel des lieux de garde collective est aussi déterminante dans le choix de beaucoup de parents : bien formé, le personnel saura garantir un maximum de sécurité et une surveillance médicale constante; il fera bénéficier l'enfant de ce qu'on ne sait pas soi-même (rythme de vie, jeux éducatifs, prévention des maladies...).

C) *L'enfant apprend à vivre avec les autres.* — Enfin, la fréquentation d'autres enfants est stimulante pour l'éveil des petits. Les échanges entre eux, très tôt, leur apprennent la vie sociale. Des parents souhaitent que leurs enfants prennent très jeunes l'habitude de la vie sociale, ou craignent que les relations avec eux, trop exclusives, ne limitent leur autonomie. Certains aussi considèrent que l'adaptation à l'école se fera plus facilement si la vie collective a commencé plus tôt.

D) *... mais la responsabilité des parents reste entière...* — Toutes ces raisons qui font choisir une garde collective sont excellentes. Elles ne peuvent néanmoins être généralisées à toutes les situations, à toutes les personnes, à tous les enfants et à toutes les circonstances. En aucun cas, lorsqu'on les partage, elles ne devraient amener à préférer systématiquement une garde collective. Comme pour la garde individuelle, un accord, une harmonie et une complémentarité sont indispensables pour l'enfant entre sa famille et les autres personnes qui s'occupent de lui. De même qu'un enfant s'adapte mal chez une nourrice quand ses parents le laissent à contrecœur, de même la crèche, ou le lieu de garde collective, peut être très mal supportée par un enfant pour qui elle n'est pas réellement désirée.

Les points auxquels il faut veiller. — Outre les options éducatives, dont les parents ont à débattre avec les personnes qui sont en contact direct avec les enfants, trois points nous semblent importants à prendre en considération avant de se décider pour un mode de garde collective :

Une relation satisfaisante qui s'élargit d'un seul adulte à plusieurs adultes. — Le premier point relève de ce que nous avons appelé plus haut le « maternage » : nous avons vu que l'enfant n'intègre bien des relations sociales diversifiées que s'il bénéficie de relations individuelles assez rassurantes avec des adultes.

En respectant les rythmes d'intégration de l'enfant. — Le second point résulte de la nécessité de respecter les rythmes d'intégration affective d'un enfant : il s'agit de s'assurer qu'on ne modifiera pas habituellement ses modes de vie, les relations affectives importantes pour lui, son environnement familier, sans prendre les égards indispensables pour qu'il puisse s'adapter.

Et en établissant des relations confiantes entre le personnel et les parents. — Le troisième point est l'accueil qui est réservé aux parents, et la possibilité qui leur est faite d'échanger directement avec les personnes qui s'occupent de leur enfant : on peut apprendre beaucoup au contact des professionnels, mais on peut aussi les aider à comprendre son enfant.

2. **Les choix pratiques.** — S'il est souvent possible pour des parents de choisir une nourrice dans leur quartier, il leur est rarement possible de choisir un lieu de garde collective. D'abord parce que, le nombre de places étant insuffisant, ils sont souvent obligés de prendre la première place qu'ils trouvent disponible; ensuite, parce qu'il y a rarement plusieurs lieux de garde collective dans un même quartier; enfin parce que les différents lieux de garde collective répondent

chacun à des situations bien précises, que nous allons envisager successivement.

Le seul choix que les parents puissent donc faire, dans la plupart des cas, se situe entre la garde individuelle à domicile et la garde par l'équipement de leur quartier (quand il en existe et qu'il a une place libre).

On trouvera dans la bibliographie, à la fin de ce livre, des titres d'ouvrages consacrés plus spécialement aux lieux de vie collective. Nous nous contenterons ici de signaler les éléments qui permettent de les situer par rapport aux assistantes maternelles.

Les crèches collectives. — Il s'agit des établissements qui reçoivent, pendant la journée, les enfants dont les parents travaillent. En cela, elles peuvent être mises en parallèle avec la plupart des assistantes maternelles.

Certaines contraintes matérielles sont cependant différentes :

— les horaires des crèches sont assez stricts;
— en cas de maladie du personnel, elles sont plus sûres qu'une assistante maternelle, les crèches assurant en général le remplacement du personnel absent;
— le coût de la crèche, pour les parents, est dans la plupart des cas proportionnel à leurs ressources (système du « quotient familial »). Ce coût est généralement inférieur à celui de l'assistante maternelle privée. Ceci s'explique par l'intervention financière des collectivités publiques en faveur des crèches. Seules les assistantes maternelles des crèches familiales peuvent être à égalité avec les crèches collectives sous cet angle-là.

Les mini-crèches. — Elles reçoivent les mêmes enfants que les crèches collectives. Mais au lieu d'être construites spécialement pour recevoir 30, 40, 60 enfants ou plus, elles sont aménagées dans un appartement d'immeuble ou dans une villa F4 ou F5; elles ne reçoivent donc que 12 à 15 enfants.

A noter que les mini-crèches sont récentes et encore assez rares. Les premières ont vu le jour à Roanne en 1976 (3); un certain nombre de communes en ont créé depuis, ou sont en train de le faire.

Les haltes-garderies. — Elles n'ont pas le même rôle que les crèches et les mini-crèches. Elles ont été créées pour recevoir de temps en temps les enfants dont la mère reste au foyer, lorsque celle-ci n'est pas disponible pour garder ses enfants. Depuis le printemps 1979, elles peuvent aussi recevoir régulièrement des enfants dont les parents travaillent à temps partiel. C'est cela qui peut les mettre en parallèle avec les assistantes maternelles.

Créées à l'origine pour dépanner provisoirement, les haltes-garderies ont pris peu à peu une autre fonction : elles sont un lieu de vie collective et un lieu d'éveil pour des enfants qui passent la plus grande partie de leur temps dans un milieu familial. Elles sont ainsi un lieu éducatif complémentaire de la famille. *A ce titre, elles sont utilisées aussi maintenant et de plus en plus souvent pour des enfants qui vivent habituellement chez une assistante maternelle :* avec l'autorisation des parents, des assistantes maternelles peuvent ainsi compléter l'éducation qu'elles donnent aux enfants qui leur sont confiés. Dans la mesure où elles peuvent rester à la halte-garderie certains jours, elles y complètent aussi leur formation.

Les crèches dites « sauvages ». — Par définition, elles se situent hors des réglementations. Leur réalisation se fait à l'initiative de parents qui organisent ensemble la garde de leurs enfants. Les horaires et les

(3) Lire *Les mini-crèches roannaises* (Ed. Horwath).

modalités de fonctionnement sont donc très variables. Le coût est entièrement à la charge des parents, qui tantôt gardent les enfants à tour de rôle, tantôt embauchent l'un d'entre eux en permanence, tantôt embauchent une ou des personnes, qualifiées ou non. Parfois les enfants sont gardés au domicile d'une des familles, parfois un local est loué pour cela, ou prêté au titre des « mètres carrés sociaux ».

Les pouponnières. — Elles sont conçues pour recevoir les jeunes enfants en permanence, jour et nuit, semaine et dimanche. Elles sont utilisées pour les enfants qui ont besoin d'une surveillance médicale spéciale (dans les hôpitaux en particulier), mais aussi pour des enfants dont les parents sont absents pour des raisons sociales ou médicales (dans les foyers de l'enfance).

Malgré les aménagement qui sont pris, les pouponnières restent déconseillées pour une longue durée : la prise en compte du développement affectif des jeunes enfants ne peut y être que partielle, et des réactions dites d' « hospitalisme » y sont souvent observées, qui introduisent au moins un retard de développement de l'enfant — si ce n'est des handicaps durables.

Les écoles maternelles. — Elles devraient être le lieu de vie des jeunes enfants le plus éloigné d'une simple « garde » d'enfants. Elles se situent en effet au confluent de deux héritages historiques, qui marquent leur pédagogie ; héritage des jardins d'enfants qui ont été des lieux d'éveil et de socialisation des jeunes enfants, à la recherche constante de possibilités d'expression adaptées à leur âge. Et l'héritage de l'école publique qui s'est progressivement ouverte aux enfants de moins de 6 ans, avec ses perspectives d'acquisitions scolaires et d'égalité entre tous les futurs citoyens.

La vie quotidienne des enfants n'y est cependant pas à la hauteur de leur projet, le plus souvent : les effectifs des classes n'y sont en effet guère adaptés, actuellement, aux possibilités des moins de 3 ans.

L'âge d'entrée à l'école maternelle reste différent selon les communes et les quartiers : là où les écoles ne sont pas surchargées, les enfants sont acceptés dès 2 ans s'ils sont propres. Ailleurs, selon les disponibilités, les enfants sont acceptés à 2 ans 1/2 ou 3 ans... et même parfois plus tard.

Mais lorsque l'école peut recevoir l'enfant à partir de 2 ans, une certaine prudence est nécessaire, surtout lorsque l'enfant n'a pas été habitué auparavant à vivre avec d'autres petits dans une crèche ou une halte-garderie : dans une classe d'école maternelle, le nombre des enfants est important, et le nombre d'adultes réduit; pour que l'enfant bénéficie de cette situation, il faut qu'il ait acquis déjà assez d'autonomie par rapport à l'adulte, et assez de capacités de relations avec les autres enfants pour ne pas se sentir isolé. Un des intérêts des centres intégrés de la petite enfance, où se côtoient la crèche, la halte-garderie et l'école maternelle, est de permettre d'aménager cette transition de façon progressive, en fonction de la maturation de l'enfant. On sait en effet que chaque enfant se développe à son rythme, et si on a pu établir un âge moyen pour les différentes acquisitions, un enfant les intègre plus tôt ou plus tard que la moyenne, sans que cela présage de ses capacités futures : l'essentiel est de respecter son rythme, en sachant que tel enfant qui a mis longtemps pour devenir propre pourra quelques mois plus tard avoir un vocabulaire étendu pour son âge, ou inversement... à condition qu'on ne l'ait pas placé dans des situations trop difficiles pour lui.

CHAPITRE V

LES MÉTIERS DE LA PETITE ENFANCE

On peut constater parmi les jeunes un certain engouement pour les professions sociales et notamment celles consacrées aux enfants. « Je voudrais m'occuper d'enfants » est une expression qui revient souvent. Elle traduit un désir louable mais, en même temps, un certain manque d'informations sur la réalité de ce travail, les difficultés d'accès aux diplômes et l'équilibre physique et psychique que ces professions nécessitent.

On doit également signaler que la même profession n'a pas la même tâche selon le lieu où elle est exercée. Une puéricultrice dans un service de PMI, par exemple, n'a pas les mêmes fonctions que dans une crèche. La situation n'est pas non plus la même selon les employeurs. Elle diffère enfin en ce qui concerne le régime des salaires, des congés et des conditions de travail, selon que les titulaires de ces emplois sont fonctionnaires dans une Direction départementale des Affaires sanitaires et sociales, agents communaux ou membres d'institutions ou d'associations privées régentées par les conventions collectives.

Il y a donc lieu de faire le point sur ces diverses professions, en distinguant d'une part celles qui sont spécifiquement consacrées aux enfants, que l'on détaillera, et celles qui ont une vocation générale et qui ne s'adressent aux enfants qu'occasionnellement.

I. — Professions exclusivement consacrées aux enfants

1. **L'éducateur de jeunes enfants.** — Les éducateurs et les éducatrices de jeunes enfants, autrefois appelés « jardinières d'enfants », sont des professionnels préparés à éduquer, au sein de petites collectivités, des enfants de 18 mois à 6 ans, qui se trouvent hors de leur famille. Il leur revient de surveiller quotidiennement les signes révélateurs de l'état physique des enfants, de veiller sur leur sécurité, d'établir le climat affectif et relationnel, de les aider à surmonter les tensions et conflits, de rechercher les activités de la vie quotidienne favorisant à la fois l'autonomie et le développement psychomoteur, d'ouvrir le groupe sur le monde, surtout s'il s'agit d'enfants privés d'un milieu de vie normal. Leur action s'insère dans celle de l'équipe médico-socio-éducative.

L'éducateur de jeunes enfants intervient dans les jardins d'enfants, les haltes-garderies, les garderies éducatives de certains centres sociaux, les groupes de loisirs, les colonies maternelles, les maisons familiales de vacances, les crèches et les maisons maternelles.

On peut également voir ce travailleur social dans les centres d'éducation surveillée pour jeunes mères mineures célibataires, les foyers de l'enfance, les maisons recevant de jeunes enfants « cas sociaux », les pouponnières et les services de pédiatrie.

Le candidat à la profession doit posséder une excellente santé et de nombreuses qualités, notamment l'ouverture d'esprit, l'intelligence pratique, l'esprit d'observation, la disponibilité, l'imagination, le sens des responsabilités, et l'habileté manuelle.

Conditions d'admission à la formation. — Les candidats doivent être âgés d'au moins 18 ans, posséder le baccalauréat (ou niveau), et satisfaire à un examen d'admission comprenant, d'une part, des épreuves de culture générale, et, d'autre part, des épreuves permettant d'évaluer leur aptitude à suivre la formation et à exercer la profession. Ces épreuves servent de base à un entretien avec le jury.

Les candidats bacheliers ou titulaires d'un titre admis en équivalence ou en dispense peuvent être dispensés des épreuves de culture générale.

Pour les éducateurs spécialisés et les moniteurs éducateurs, les épreuves d'aptitude sont remplacées par un entretien.

La formation. — La formation, sanctionnée par le diplôme d'Etat d'éducateur de jeunes enfants, est organisée par le décret du 11 janvier 1973. Elle se déroule sur deux années scolaires complètes (1) et comporte un enseignement théorique et technique et des stages pratiques.

Les stages pratiques, répartis sur trente-six semaines de présence effective dans un jardin d'enfants ou un service d'enfants, sont effectués dans divers types d'établissements ou services sociaux éducatifs sanitaires ou scolaires accueillant des enfants de moins de 6 ans.

2. **La puéricultrice.** — La puéricultrice est une infirmière spécialisée dont le rôle est d'assister le pédiatre

(1) Des dispenses peuvent être accordées pour les titulaires de certains diplômes sociaux et médico-sociaux, par le ministre de la Santé.

et éventuellement d'encadrer les auxiliaires de puériculture dans le maternage des bébés.

Elle peut être appelée à exercer ses fonctions dans des structures diverses : service de maternité, de réanimation néo-natale, de pédiatrie ou de prématurité, dans les services de la protection maternelle et infantile des Directions des Affaires sanitaires et sociales. Elle peut également être directrice de crèche ou d'établissement sanitaire de la petite enfance.

Selon l'établissement dans lequel elle se trouve, elle aura à effectuer des tâches paramédicales et médicales, d'administration et d'éducation sanitaire. Elle a la responsabilité de tout ce qui concerne l'enfant — en liaison constante avec le pédiatre — sur le plan médical.

Les débouchés de la profession sont encore assez nombreux.

Formation des puéricultrices. — La formation des puéricultrices est sanctionnée par un diplôme d'Etat de puéricultrice.

Les études conduisant à ce diplôme durent dix mois et demi et sont effectuées dans des écoles agréées par le ministère de la Santé. Elles comportent des cours théoriques, des travaux pratiques et des stages hospitaliers.

Les frais de scolarité varient en fonction des établissements (se renseigner au préalable auprès de l'école choisie).

Les hôpitaux privés et certains organismes peuvent accorder des bourses d'études dont le montant varie en fonction de l'obligation de service.

Les agents titulaires des établissements hospitaliers publics peuvent conserver le bénéfice de leur traitement durant leur scolarité au titre de la promotion professionnelle sur avis favorable du Directeur de l'hôpital.

Enfin, la formation des puéricultrices est agréée au titre de la rémunération des stagiaires de la formation professionnelle (loi du 16 juillet 1971).

Conditions d'admission dans les écoles de puériculture. — Sont admises à suivre la formation de puéricultrice les personnes titulaires :

— du diplôme d'Etat de sage-femme;
— du diplôme d'Etat d'infirmière;
— du diplôme d'Etat d'assistante sociale (obtenu antérieurement au 31 décembre 1971).

Une expérience professionnelle de plusieurs années est en outre exigée par la plupart des écoles, notamment auprès des enfants (se renseigner auprès des écoles).

Peuvent suivre cette formation, à titre étranger, les candidats de nationalité étrangère titulaires d'un diplôme étranger de sage-femme ou d'infirmière donnant le droit d'exercer la profession de sage-femme ou d'infirmière dans leur pays.

3. **L'auxiliaire de puériculture.** — L'auxiliaire de puériculture est chargée, dans tous les établissements concourant à la protection maternelle et infantile (consultations pré- et post-natales, crèches, pouponnières, haltes-garderies, maisons maternelles...), de donner les soins qui ne sont pas médicaux aux nourrissons et aux enfants en bas âge.

L'auxiliaire de puériculture travaille sous la direction et le contrôle de la puéricultrice, d'une infirmière ou d'une sage-femme.

Les débouchés de cette profession sont importants

notamment à Paris et dans la région parisienne tant dans le secteur public (centres de protection maternelle et infantile, établissements hospitaliers) que dans le secteur privé (maternités, crèches privées, pouponnières, hôtels maternels).

Autre débouché possible pour les auxiliaires de puériculture : il existe une demande importante de nurses dans les familles.

La formation des auxiliaires de puériculture. — La formation est sanctionnée par un certificat d'auxiliaire de puériculture.

La durée des études est d'une année (dont un mois et demi de congés). Les études se composent de cours et de stages pratiques : dix mois de stages effectifs dans les services hospitaliers d'enfants, les maternités, crèches, pouponnières, consultations de nourrissons. La durée des stages se situe entre trente et trente-cinq heures par semaine; il n'y a pas de stage de nuit. Les frais de scolarité sont très variables selon les établissements. Toutefois, les études sont parfois gratuites. Des bourses d'études peuvent, en outre, être accordées par le ministère de la Santé aux élèves dont les ressources ne dépassent pas un certain plafond fixé annuellement. Enfin, il existe des possibilités de rémunération pendant la formation d'auxiliaire de puériculture (loi du 16 juillet 1971 sur la formation professionnelle).

Conditions d'admission dans les écoles de puériculture. — Les candidates doivent, pour être admises à suivre la formation :

— être âgées de 17 ans lors de leur entrée à l'école (possibilité de dérogation);
— être titulaires soit :

- du Brevet d'Etudes professionnelles préparatoires aux carrières sanitaires et sociales (option sanitaire);
- du Brevet sanctionnant la fin du premier cycle de l'enseignement du second degré;
- du Certificat d'aptitude professionnelle agricole (option économie familiale rurale);
- ou être admises à poursuivre les études du deuxième cycle de l'enseignement du 2e degré ou de l'enseignement professionnel long, ou du CAP d'aide maternelle.

A défaut, les candidates doivent satisfaire aux épreuves d'un examen d'entrée.

L'admission définitive. — L'admission définitive est prononcée après une période probatoire de trois mois qui est utilisée pour déceler les aptitudes des élèves à la profession.

La promotion professionnelle de l'auxiliaire de puériculture. — Un arrêté du 21 juillet 1975 a prévu la possibilité pour les titulaires du certificat d'aptitude aux fonctions d'aide-soignante d'accéder, par la voie d'un examen particulier, à la préparation de la profession d'infirmier(ère).

4. **L'assistante maternelle.** — Il s'agit d'une personne qui, moyennant rémunération, accueille chez elle des enfants pour les garder à la journée ou en placement permanent. Les assistantes maternelles sont aujourd'hui plus de 500 000 mais 280 000 seulement ont reçu, pour exercer cette activité, l'agrément des services de protection maternelle et infantile.

Voici comment elles se répartissent :

— 200 000 environ d'entre elles ne sont rattachées à aucune structure. Elles sont choisies et rémunérées directement par les familles qui leur confient des enfants, généralement à la journée.

— 10 000 autres exercent dans le cadre d'une crèche familiale. Elles pratiquent elles aussi la garde à la journée mais, dans ce cas, c'est un organisme intermédiaire (la crèche familiale) qui les recrute, leur adresse des enfants et les rémunère.

— 60 000 autres sont employées par les Services départementaux de l'Aide sociale à l'Enfance. Leur rôle consiste à accueillir en placement permanent des enfants de tous âges qui se trouvent sans soutien familial ou confiés au service par leur famille en difficulté ou placés par décision du juge des enfants.

— 8 000 autres, enfin, exercent dans le cadre de « placements familiaux spécialisés », c'est-à-dire des placements accompagnés de soins médicaux ou médico-psychologiques particuliers.

Or, ces personnes, jusqu'à la loi du 17 mai 1977, n'avaient pas de véritable statut définissant des droits et des obligations propres à leur activité.

La loi du 17 mai 1977 (*JO* du 18 mai) a voulu remédier à cette lacune. Cette loi couvre l'ensemble des nourrices, qui s'appelleront désormais des « assistantes maternelles ».

Elle s'applique donc quel que soit leur employeur (particulier, organisme privé, service public) et quels que soient l'âge et les modalités d'accueil des mineurs.

L'importance numérique et pratique des assistantes maternelles dans le dispositif français de garde des enfants nous amène à consacrer tout le chapitre suivant à leur nouveau statut.

5. **Le pédiatre.** — Le pédiatre est un médecin spécialisé dans la branche de la médecine dénommée pédiatrie. Celle-ci comprend la prévention, le diagnostic et le traitement des maladies infantiles. Elle donne lieu, dans les facultés de médecine, à la délivrance d'un Certificat d'Etudes spéciales (CES).

6. **Le médecin de Protection maternelle et infantile** (PMI). — Le médecin de PMI est un médecin des Directions départementales des Affaires sanitaires et sociales (DDASS) chargé de la maternité et de la « surveillance » médico-sociale de la population enfantine jusqu'à 6 ans, parfois au-delà dans le cadre du « Service unifié de l'Enfance ». Il est, par ailleurs, chargé, sous l'autorité du Directeur de la DDASS, de la mise en place et du contrôle des centres et établissements de conseil conjugal et familial. Son activité s'exerce en liaison avec les services de pédiatrie des hôpitaux.

7. **L'institutrice d'école maternelle.** — L'institutrice d'école maternelle est une institutrice (voire un instituteur) chargée d'une classe maternelle (la formation des instituteurs les rendant aptes à enseigner dans toute la scolarité obligatoire). Elle exerce ses attributions avec l'aide matérielle des « femmes de service » qui sont des employées municipales sans qualification particulière.

II. — Professions à vocation générale qui ne sont consacrées qu'occasionnellement aux enfants

Il y a, d'une part, les travailleurs sociaux, d'autre part, les professionnels para-médicaux.

Les travailleurs sociaux sont les suivants. — *Les assistants(tes) de service social :* Travailleur social polyvalent. C'est le plus connu et le plus important en nombre des travailleurs sociaux.

L'éducateur spécialisé : Il a pour mission de favoriser ou de rétablir le développement de la personnalité des jeunes inadaptés. Comme l'assistant social, il est formé en trois ans dans des écoles agréées par le ministère de la Santé.

L'éducateur de l'éducation surveillée et l'éducateur de l'administration pénitentiaire relèvent du ministère de la Justice.

Le moniteur éducateur : Comme l'éducateur spécialisé, il a un rôle d'éducation et d'animation des enfants et des adolescents en difficulté. Sa formation dure deux ans, au niveau du BEPC, dans des centres de formation agréés par le ministère de la Santé.

L'aide médico-psychologique : Il est chargé de tâches éducatives auprès d'enfants ou d'adultes gravement handicapés. Sa formation a lieu en cours d'emploi, si possible au niveau du BEPC.

La travailleuse familiale : Elle intervient dans les familles en difficultés pour aider ou suppléer la mère de famille. Elle est formée en un an, dans des écoles agréées. Cette formation, qui fait alterner les cours et les stages, permet la délivrance d'un « certificat de travailleuse familiale ».

L'aide ménagère, dans les mêmes conditions que la travailleuse familiale, apporte surtout une aide matérielle. Elle peut bénéficier d'une formation en cours d'emploi.

Les professionnels para-médicaux. — *L'infirmier(ère) :* C'est le plus connu et le plus nombreux des professionnels para-médicaux. Sa formation s'effectue en trois ans après le baccalauréat, dans des écoles agréées par le ministère de la Santé. Elle donne lieu à la délivrance d'un diplôme d'Etat.

L'infirmier de secteur psychiatrique : Il intervient en hôpital ou en secteur, auprès des malades mentaux enfants et adultes. Sa formation, en trois ans, s'effectue dans les hôpitaux psychiatriques.

L'aide-soignant(e) est l'assistant(e) direct(e) du personnel infirmier pour les soins d'hygiène générale du malade. Il est titulaire d'un CAP préparé et délivré dans les hôpitaux où travaillent déjà les candidats.

Telles sont les principales professions sociales et paramédicales appelées à s'occuper d'enfants, soit en permanence, soit à l'occasion de leur maladie ou de leurs difficultés sociales ou familiales. La liste des écoles agréées, le contenu détaillé des formations et les débouchés doivent être demandés auprès des Directions départementales des Affaires sanitaires et sociales, généralement situées près des Préfectures de chaque département.

Chapitre VI

LES FINANCEMENTS

Les divers modes de garde d'enfants obéissent à des systèmes de financement extrêmement variés, tant en ce qui concerne les investissements (construction, aménagement) que les fonctionnements (salaires du personnel, frais journaliers).

Ces financements incombent à la collectivité publique (Etat et Département), aux Communes, aux Caisses d'Allocations familiales, enfin (pour les investissements) à des organismes prêteurs (Caisse des Dépôts et Consignations, Caisse d'Epargne).

La participation des parents est nulle ou très variable, selon qu'il s'agit des écoles maternelles, des assistantes maternelles ou des crèches et garderies.

I. — Les écoles maternelles

Les écoles maternelles sont à la charge de l'Etat et des communes pour leur construction. En ce qui concerne le fonctionnement, l'Etat (ministère de l'Education) rétribue les institutrices et les communes recrutent et rétribuent les femmes de service. Les écoles maternelles sont gratuites pour les parents, ce qui est particulièrement avantageux puisque les taux de scolarisation sont les suivants :

— 32 % pour les enfants de 2 à 3 ans;
— 90 % pour les enfants de 3 à 4 ans;
— 99 % pour les enfants de 4 à 5 ans.

Sur le plan médico-social, ces enfants, qui sont au nombre de 230 000, sont suivis par le Service de Protection maternelle et infantile des Directions départementales des Affaires sanitaires et sociales.

II. — Les assistantes maternelles

Les assistantes maternelles, à l'inverse, sont intégralement à la charge des parents. Leur rémunération est fixée conformément à leur statut décrit au chapitre suivant. A titre indicatif, le salaire *minimum* d'une assistante maternelle, pour le mois de mars 1982, s'établit comme suit :

Salaire de base : 18 jours à 37,24 F	670,32 F
Indemnité compensatrice : 2 jours à 18,62 F	37,24 -
	707,56 F
Congés payés : 8,33 % de 707,56 F	58,94 -
	766,50 F

Cotisations salariales	*Taux*	*Base de calcul*	*Retenues*
Assurance maladie	10,30 %	403	41,51
Retraite complémentaire	1,76 -	766,50	13,49
			55,00

Net à payer : 711,50 F

Il s'agit, en l'occurrence, d'un enfant gardé cinq jours par semaine à raison de huit heures par jour avec deux jours d'indemnité compensatrice d'absence (le SMIC, en mars 1982 est de 18,62 F de l'heure).

Sont à la charge de la collectivité (DDASS) l'agrément des assistantes maternelles, leur formation et le contrôle des enfants placés. Ces dépenses sont prises en charge par la DDASS et réparties à raison de 80 % en moyenne à la charge de l'Etat et 20 % en moyenne à la charge du département.

III. — Les crèches

Le prix de revient des crèches varie de 120 à 180 F par jour de garde dans les crèches collectives, se situant dans la plupart des cas entre 120 et 140 F. Pour les crèches familiales, l'écart va de 80 à 120 F. Ces écarts s'expliquent notamment par des différences dans les frais de personnel (environ 80 % du prix de revient) en fonction du taux d'encadrement, de l'ancienneté et de la qualification du personnel et par des taux de fréquentation très variables. En fait le coût *réel* d'une crèche n'a jamais été établi : certaines charges (locaux, entretien, personnel) restant partiellement à la charge d'une collectivité (municipalité, CAF, etc.).

La charge du fonctionnement est répartie entre les usagers en fonction de leurs ressources, les Caisses d'Allocations familiales par le biais d'une « prestation de service » et les organismes gestionnaires.

La répartition est à peu près la suivante :

— gestionnaires (collectivités locales le plus souvent)	40 à 50 %
— ménages	30 à 33 –
— Caisses d'Allocations familiales	20 à 25 –
— divers (entreprises, administrations)	2 à 5 –

La part des familles, modulée par l'application d'un barème dégressif calculé d'après le revenu moyen, loyer déduit, par personne au foyer varie beaucoup d'une crèche à l'autre. Elle est de l'ordre de 30 à 60 F par jour.

Elle est le plus souvent établie avec la méthode dite du « quotient familial » qui se calcule comme suit :

$$\text{Femme seule} : \frac{\text{Salaire + pension éventuellement}}{\text{Nombre de personnes + 1}}$$

$$\text{Ménage} : \frac{\text{Salaire du ménage + pension éventuellement}}{\text{Nombre de personnes vivant au foyer}}$$

Il n'est pas tenu compte du loyer, ni des prestations familiales, ni du complément familial. (Malgré son apparente équité, la formule du « quotient familial » est remise en cause par ceux qui estiment que ce n'est pas aux équipements sociaux qu'il appartient de remédier aux inégalités sociales. Celles-ci doivent être corrigées par l'impôt (pour les « riches ») et par les allocations d'aide sociale ou « l'impôt négatif » (pour les « pauvres »).)

Les dépenses d'investissement sont couvertes par une subvention de l'Etat d'environ 40 %, une subvention du même montant de la Caisse nationale des Allocations familiales, le reliquat étant à la charge des collectivités locales ou des associations promotrices ou des communes.

La participation financière de l'Etat (ministère de la Santé) est assurée au moyen d'une partie des crédits déconcentrés mis à la disposition des préfets au titre du chapitre 66-20, article 30.

IV. — Les garderies et halte-garderies

Leur prix de revient est relativement élevé pour les gestionnaires (communes, Caisses d'Allocations familiales, Associations), mais plutôt faible pour les parents.

Les dépenses d'investissements sont réparties entre les financeurs (l'Etat et les autres collectivités) selon le système que nous avons décrit pour les crèches.

Avec la disparitié des modes de financements, on touche du doigt l'extrême variété des modes de garde des jeunes enfants en France. Diversité qui est en elle-même une richesse, mais qui provoque aussi, concrètement des injustices sociales auxquelles il n'est pas facile de porter remède. Les essais de regroupement des modes de garde, sous forme de « centres de la petite enfance », n'ont pas rempli les espoirs qu'on avait placés en eux, en raison de leur coût, de la diversité des statuts et des formations des personnes concernées selon leur ministère d'appartenance (Santé et Education nationale).

Que penser alors des « crèches scolaires » où travailleraient côte à côte des institutrices et des assistantes maternelles ? Ces dernières et les parents seront-ils admis à l'école, avec des horaires et des jours d'ouverture adaptés à leurs besoins ? C'est le souhait du rapport de Evelyne Sullerot, présenté au Conseil économique et social le 10 mars 1981 et qui conclut : « S'il existe une politique de prévention à longue portée et efficace en matière de santé, d'hygiène mentale et d'éducation, c'est bien celle qu'on peut faire en faveur des très jeunes enfants. »

La petite enfance est, pour une société, un investissement rentable.

CHAPITRE VII

LE STATUT DES ASSISTANTES MATERNELLES

L'adoption d'un statut en faveur des personnes pratiquant l'accueil d'enfants à domicile est événement dans l'histoire de la protection de l'enfance (1). C'est la première fois que la nation, par la voix du législateur, reconnaît et affirme l'importance et la dignité de la fonction sociale que jouent les gardiennes d'enfants.

Elles peuvent être regroupées en deux catégories :

— Celles qui sont salariées par des personnes ou des collectivités privées. On les appelle, quelquefois, « gardiennes privées »; elles reçoivent leurs enfants :

- soit directement de leurs *parents* ou d'un *particulier* (personne physique);
- soit d'un *organisme* privé (personne morale).

Il s'agit tantôt d'une crèche familiale gérée par une association ou un organisme de droit privé (Caisse d'Allocations familiales, Centre social), tantôt d'un organisme privé de placement familial qui reçoit les enfants d'un service public (aide sociale à l'enfance, plus rarement juge des enfants) et qui les place, sous sa propre responsabilité, chez des gardiennes qu'il recrute, surveille et rétribue directement.

— Celles qui sont salariées par une collectivité publique; on les nomme parfois « gardiennes pu-

(1) Pour une approche exhaustive, lire *Les assistantes maternelles*, des mêmes auteurs (ESF, 1980).

bliques »; elles reçoivent les enfants d'un service public de l'Etat, du département ou de la commune :

- service de l'aide sociale à l'enfance des directions départementales des affaires sanitaires et sociales. C'est le cas général;
- service de placement d'un autre organisme public personnalisé : foyer de l'enfance, agence de placement;
- crèche familiale municipale.

Quelles sont les dispositions du statut ? — On examinera les dispositions de ce statut — non pas dans l'ordre où les placent les textes légaux et réglementaires — mais dans l'ordre logique de leur application :

I. — L'agrément des assistantes maternelles;
II. — Leurs obligations;
III. — Les rémunérations auxquelles elles ont droit;
IV. — Les droits sociaux dont elles bénéficient;
V. — Les formalités en cas de litige.

I. — Agrément des assistantes maternelles

Le principe. — L'article 123.1, premier alinéa du Code de la Famille et de l'Aide sociale, stipule que « peuvent seules accueillir habituellement des mineurs à leur domicile moyennant rémunération des personnes qui sont agréées à cet effet ». Sachons, avant d'entrer plus avant dans les conditions d'octroi de cet agrément, que le décret n° 78-474 du 29 mars prévoit, en son article 8, des sanctions contre les contrevenants (amende et même emprisonnement).

Les conditions à remplir par l'assistante maternelle. — Pour obtenir l'agrément, l'assistante maternelle doit :

1) Subir un examen médical, de même que, éventuellement, toutes les personnes vivant à son foyer, ou certaines d'entre elles.

2) Etre reconnue apte, compte tenu, notamment, du milieu familial de la personne intéressée :

a) A accueillir le mineur dans le respect des règles d'hygiène corporelles et mentales;

b) A concourir à l'éveil intellectuel et affectif et à l'éducation du mineur dans les conditions appropriées à son âge;

c) En ce qui concerne les mineurs accueillis en garde permanente, à établir avec la famille les relations nécessaires à l'épanouissement du mineur.

3) Disposer d'un logement salubre et proportionné au nombre et à l'âge des mineurs.

La décision d'agrément prise par le Directeur départemental des Affaires sanitaires et sociales. — Le Directeur départemental des Affaires sanitaires et sociales fait procéder à une enquête pour laquelle il peut faire appel au concours des collectivités publiques et des organismes privés qui ont passé convention à cet effet avec le département, ou qui sont autorisés à employer des assistantes maternelles.

La décision d'agrément fixe le nombre et l'âge des mineurs que l'assistante maternelle est autorisée à recevoir. Elle précise si cette dernière est autorisée à accueillir des mineurs en garde permanente, ou de jour seulement.

Le Directeur départemental des Affaires sanitaires et sociales délivre à l'assistante maternelle agréée un document qui atteste l'agrément et en précise la portée.

II. — Les obligations des assistantes maternelles

1. **Les assurances.** — Si un enfant gardé par une assistante maternelle est victime d'un accident ou s'il cause un dommage, la responsabilité de l'assistante

maternelle peut être engagée, ce qui peut avoir pour elle de graves conséquences financières.

La loi a donc prévu que les assistantes maternelles employées directement par des particuliers devront se protéger contre ce risque en souscrivant une assurance, dans des conditions à préciser par décret.

La nouvelle loi précise que les assistantes maternelles sont couvertes par les services qui les emploient contre les dommages que les enfants accueillis peuvent provoquer et contre ceux dont ils peuvent être victimes.

C'est donc le service de l'aide à l'enfance — ou la crèche familiale — ou le service privé de placement familial — qui doit couvrir par une assurance les gardiennes qu'il emploie et rémunère.

2. **Le contrat.** — Comme pour les assurances deux cas sont à considérer selon que les assistantes maternelles sont employées directement par des particuliers — ou par des personnes morales de droit privé ou public.

A) *Pour les assistantes maternelles employées par des particuliers.* — Ce sont les parents et les assistantes maternelles qui détermineront librement le contenu et la forme du contrat (nombre d'enfants confiés, nombre de journées ou de demi-journées de garde par semaine, heures d'arrivée et de départ des enfants, soins à leur donner, montant et dates de versement du salaire, remise des sommes ou des fournitures destinées aux enfants, etc.).

B) *Pour les assistantes maternelles employées par des personnes morales* (service de l'aide à l'enfance, crèche familiale, service privé de placement familial).

En plus de leur contrat de travail avec le service employeur qui traite de questions générales telles que leur salaire, leurs congés, etc., les assistantes maternelles signent avec ce service et pour chaque enfant accueilli un « contrat de placement » particulier.

Ce contrat précise notamment le rôle de la famille d'accueil et celui du service employeur à l'égard du mineur et de sa famille d'origine (droit de visite des parents, soins particuliers à donner, durée envisagée pour le placement) ; si l'assistante maternelle est mariée et demeure avec son conjoint, le contrat de placement sera également signé par celui-ci, afin de manifester que toute la famille d'accueil se propose de participer à son application.

3. **L'impôt sur le revenu.** — Les assistantes maternelles relèvent désormais du régime d'imposition des salariés, dont le taux varie avec les revenus du ménage.

III. — Les rémunérations des assistantes maternelles

1. **Le salaire.** — Il comprend :

— *D'une part, un salaire destiné à l'assistante maternelle.* — Ce salaire est fixé d'un commun accord entre l'assistante maternelle et les parents. La loi a simplement prévu l'existence d'un montant minimum qui est fixé par décret à :

— deux fois le montant du salaire minimum de croissance (SMIC) par enfant et par jour, si la durée de garde est égale ou supérieure à huit heures;
— un quart de SMIC par heure, pour une durée de garde inférieure à huit heures.

— *D'autre part, les sommes ou les fournitures destinées à l'enfant*, qui relèvent essentiellement de la responsabilité des parents ou des employeurs personnes morales.

Le salaire doit être versé à l'assistante maternelle au moins une fois par mois.

2. **Les indemnités pour contraintes particulières.** — Il s'agit d'une indemnité due aux assistantes maternelles *employées par des personnes morales de droit privé ou public* pour tenir compte des sujétions exceptionnelles (soins particuliers ou éducation spéciale) entraînées par des handicaps, maladies ou inadaptation.

Elle est révisée périodiquement, compte tenu de l'évolution de l'état de santé de l'enfant, et ne peut être inférieure à la moitié du SMIC, par enfant et par journée de garde.

3. **L'indemnité de disponibilité.** — Afin de pouvoir assurer sans délai des accueils urgents et de courte durée, les services de l'aide sociale à l'enfance peuvent spécialiser dans cette forme d'accueil certaines des assistantes maternelles qu'ils emploient.

Ces assistantes maternelles s'engagent à recevoir immédiatement les enfants présentés par le service dans la limite d'un nombre maximum convenu avec lui.

En contrepartie, elles perçoivent durant les périodes où aucun enfant ne leur est confié, une « indemnité de disponibilité » dont le montant minimum, fixé par décret, est au moins égal a une fois et demie le SMIC pour chaque journée.

4. **L'indemnité compensatrice** (1). — Lorsqu'un enfant est absent durant une ou plusieurs journées où il aurait normalement dû lui être confié, l'assistante maternelle ne reçoit, naturellement, ni argent ni fournitures pour l'entretien de cet enfant. Elle a droit, en revanche, à une partie de son salaire sous forme d'une « indemnité d'absence » dite indemnité compen-

(1) A noter que l'assistante maternelle continue de recevoir son salaire lorsque l'enfant retourne dans sa famille en fin de semaine (pour un placement permanent).

satrice dont le minimum fixé par décret est égal au montant du SMIC par journée entière d'absence de l'enfant.

5. **L'indemnité de congés payés.** — Un supplément d'un douzième (soit 8,33 %) doit être ajouté au salaire et aux éventuelles indemnités d'absence perçues par l'assistante maternelle. Ce supplément, qui constitue une « indemnité de congés payés », est destiné à permettre à l'assistante maternelle d'interrompre son activité durant quatre semaines par an tout en disposant de l'équivalent de son salaire habituel. Il peut être, au choix des deux parties, versé en une seule fois annuellement ou échelonné sur chacun des versements du salaire.

IV. — Les droits sociaux

1. **La formation des assistantes maternelles.** — Des actions de formation et d'information doivent être organisées pour aider les assistantes maternelles dans leur rôle éducatif, répondre aux questions qu'elles se posent dans l'exercice de leur activité et leur permettre de mieux collaborer avec les services de PMI. Ces actions pourront s'adresser aussi bien à des assistantes maternelles déjà agréées qu'à des personnes demandant l'agrément.

2. **Les congés de maladie ou de maternité.** — En cas d'absence ou d'accident, ou au moment d'une maternité l'assistante maternelle peut naturellement décider d'interrompre son activité. Le contrat est alors suspendu et sa rémunération est remplacée par les indemnités journalières de la Sécurité sociale.

3. Les droits en matière de Sécurité sociale

— *Affiliation :* dès la création du régime général de la Sécurité sociale, par une ordonnance du 19 octobre 1945, toutes les nourrices et gardiennes, quels que soient leur employeur et leur mode d'activité, ont été assujetties à ce régime.
— *Cotisations :* afin que la charge supportée par les familles qui emploient des assistantes maternelles ne soit pas excessive, les cotisations sociales que ces familles doivent verser trimestriellement aux organismes de recouvrement (URSSAF) sont — et demeurent — calculées non pas sur le salaire réel des assistantes maternelles mais sur une base forfaitaire nettement moins élevée. Cette base est, pour l'année 1982, 403 F par mois et par enfant gardé. Elle entraîne pour l'employeur une cotisation de 133,59 F par enfant et par mois et pour l'assistante maternelle, une cotisation de 41,51 F;
— *Droits :* ces cotisations réduites donnent droit à des prestations en nature (remboursement des frais médicaux et pharmaceutiques en cas de maladie, maternité, invalidité, accident du travail) et à des prestations en espèces (indemnités journalières — dans les mêmes cas — et pension de retraite).

Pour ce qui est des prestations en nature, ce régime avantage les assistantes maternelles puisqu'il leur assure la même protection qu'aux autres salariés, moyennant des cotisations fortement réduites.

Les indemnités journalières, en revanche, sont très peu élevées, car elles sont calculées sur la base forfaitaire de 403 F par mois et par enfant.

La pension de retraite, enfin, se trouve dans une situation intermédiaire : elle est calculée, comme les indemnités sur la base forfaitaire mais, par le jeu d'un « minimum » qui est accordé à tous les salariés ayant une faible rémunération elle bénéficie d'une sorte de bonification. C'est pourquoi, tout en restant modique elle est finalement relativement avantageuse par rapport aux cotisations versées.

4. **Les droits en matière de retraite complémentaire.** — Comme tous les salariés, les assistantes maternelles doivent maintenant être affiliées par leurs employeurs à un régime de retraite complémentaire.

Les taux applicables sont de : 0,84 % (cotisation assistante maternelle); 1,26 % (cotisation employeur).

5. **Le droit syndical.** — Du fait qu'elles sont désormais reconnues comme salariées, les assistantes maternelles peuvent constituer des syndicats professionnels au sens du cadre du travail. Ces syndicats sont juridiquement habilités à représenter leurs intérêts auprès des employeurs et des tribunaux.

6. **En cas de licenciement : préavis et indemnité.** — Durant les trois premiers mois de la garde d'un enfant, les parents (comme l'employeur personne morale) comme l'assistante maternelle, peuvent mettre fin à leur collaboration sans formalités ni délai particuliers. C'est en période d'essai.

Après trois mois l'employeur doit notifier à l'intéressée sa décision par lettre recommandée avec demande d'avis de réception. La date de présentation de la lettre recommandée fixe le point de départ du délai-congé éventuellement dû en vertu de l'article L 773.8 ou L 773.13. L'inobservation de ce délai-congé donne lieu au versement d'une indemnité compensatrice.

A) *Pour les assistantes maternelles employées par des particuliers* et dans le cas d'un contrat à durée indéterminée : les assistantes maternelles qui justifient, auprès du même employeur d'une ancienneté d'au moins trois mois, ont droit, sauf motif grave, à un préavis de quinze jours avant le retrait d'un enfant qui leur était confié. De même l'assistante maternelle qui décide de ne plus garder un enfant confié depuis au moins trois mois doit donner un préavis de quinze jours, à moins que l'employeur n'accepte d'abréger cette durée.

B) *Pour les assistantes maternelles employées par des personnes morales.* — En cas de licenciement pour un motif autre qu'une faute grave, les assistantes maternelles employées par des personnes morales ont droit :

- à un délai-congé de quinze jours si elles justifient, au service du même employeur, d'une ancienneté comprise entre trois et six mois;
- à un délai-congé d'un mois si elles justifient d'une ancienneté comprise entre six mois et moins de deux ans;
- à un délai-congé de deux mois et à une indemnité de licenciement si elles justifient d'une ancienneté d'au moins deux ans.

Le montant minimal de l'indemnité de licenciement est égal par année d'ancienneté à deux dixièmes de la moyenne mensuelle des sommes que l'intéressée a perçues au cours des six derniers mois.

De son côté, l'assistante maternelle doit aussi respecter un délai-congé de quinze jours en cas d'ancienneté de trois mois, et un mois à partir d'une ancienneté de six mois, sauf si l'employeur accepte d'abréger cette durée.

7. **L'aide aux travailleurs sans emploi.** — Les assistantes maternelles qui, employées par des particuliers, se trouvent involontairement sans *aucun* enfant à garder et qui se sont inscrites comme demandeurs d'emploi auprès des services compétents (agences

pour l’emploi) peuvent dans les cas et selon les modalités qui sont définies par décret, bénéficier de l’aide publique aux travailleurs sans emploi.

Malgré le statut dont le législateur les a dotées, les assistantes maternelles restent encore, actuellement, dans une situation précaire : pas de sécurité d’emploi, allocation de chômage modique, retraite dérisoire...

CONCLUSION

La garde des jeunes enfants est donc bien devenue un « problème » :

— « Problème » de vie quotidienne pour les parents : où placer l'enfant, compte tenu des contraintes d'horaires, de distance, de coût... ?
— « Problème » plus existentiel pour les mêmes parents : quelle éducation donner, quel avenir préparer, pour ce prolongement de moi qu'est mon enfant ?
— « Problème » social et économique : plusieurs centaines de milliers de personnes en France actuellement vivent de la garde des jeunes enfants. Des corporations professionnelles, des associations, des institutions multiples s'en préoccupent; un jour prochain, il s'avérera nécessaire d'en chiffrer le coût, à l'échelle nationale, pour le mieux gérer (des études RCB ont déjà réalisé des approches partielles de cet aspect du « problème »);
— « Problème » politique puisqu'il touche d'une manière déterminante les premières années de la vie de tous les citoyens et les premières années de leur vie de parents : si les prises de position des partis politiques en ce domaine constituent le plus souvent un petit paragraphe d'un sous-chapitre concernant l'aménagement de la vie sociale, le caractère « d'investissement » pour l'avenir, inhérent à la garde des enfants, est de plus en plus perçu.

* * *

Notre souci a été de rassembler ici les éléments de la problématique : nous avons évoqué les enjeux historiques et sociaux, symboliques et idéaux, c'est-à-dire les enjeux vitaux. Nous avons décrit et analysé les différentes facettes de la pratique visible : le droit, les réactions de l'enfant, les préoccupations des parents, les lieux de garde, les professions, l'argent.

Il resterait à évoquer l'avenir.

Dans les fonctionnements actuels, les insatisfactions ne manquent pas. Par conséquent, la garde des jeunes enfants est un domaine qui évolue très vite : on recherche, on innove, on invente.

Paradoxalement, le fait qu'elle ne concerne qu'un petit nombre d'années de la vie est plutôt un handicap pour innover : le temps de découvrir le problème, de s'y confronter, de ressentir la nécessité d'autre chose... et les préoccupations sont déjà ailleurs : l'enfant est à l'école.

On peut donc distinguer deux lignes de force dans les évolutions en cours :

— un courant vient des professionnels, des gestionnaires d'équipements ou des responsables administratifs; il est pensé, réfléchi; il s'inscrit dans la durée et appartient au mouvement des « innovations sociales ». Il a donné naissance aux « Centres de la Petite Enfance », puis aux minicrèches et autres équipements « intégrés »... Il donne lieu à des recherches pédagogiques. Il constitue la réponse que les spécialistes ouverts et intelligents tentent de donner aux difficultés qu'ils constatent;

— l'autre courant est plus sauvage, et dispose de moins de moyens. C'est celui qui vient de la réaction des parents qui ne « constatent » pas les « problèmes » et les insatisfactions, mais qui les vivent. Les solutions qui viennent de là donnent rarement matière à des études techniques et à des rapports ministériels; elles sont éphémères. Elles font davantage penser à du bricolage : aménagement du temps de travail de l'un ou de l'autre parent ou des deux, garderies sauvages, crèches parentales... Elles ont un aspect réactionnel, face aux difficultés des fonctionnements sociaux que nous avons évoquées. Mais contrairement aux innovations engendrées par le 1er courant, elles modifient le rapport de pouvoir entre la collectivité et les familles; elles donnent souvent naissance à des petites cellules de vie sociale qui débordent le mécanisme de la famille nucléaire consommatrice d'équipements sociaux.

L'existence de ces deux courants confirme l'idée selon laquelle la garde des jeunes enfants est un des lieux symptomatiques de notre fonctionnement social.

DÉFINITIONS
ET RÉFÉRENCES OFFICIELLES

Les crèches. — La crèche est un établissement ayant pour objet de garder pendant la journée, durant le travail de leurs mères, les enfants bien portants ayant moins de 3 ans accomplis.

— *Les crèches à domicile (ou familiales).* — La crèche à domicile est un équipement consistant en un placement familial en externat chez des assistantes maternelles agréées par le Service de Protection maternelle et infantile et sous la responsabilité d'une puéricultrice diplômée.

Les crèches à domicile ont ainsi pour objet de pallier l'insuffisance quantitative des crèches traditionnelles et elles constituent à cet égard un équipement complémentaire assurant un lien nécessaire entre les crèches traditionnelles, les services de Protection maternelle et infantile et les centres sociaux éventuellement.

Textes d'application. — Décret n° 74-58 du 15 janvier 1974 relatif à la réglementation des pouponnières, crèches, consultations de protection infantile et des gouttes de lait, abrogeant les dispositions des décrets 45-792 du 21 avril 1945 et n° 46-1500 du 18 juin 1940.

— Arrêté du 5 novembre 1975 portant réglementation du fonctionnement des crèches, modifié par l'arrêté du 23 août 1979 (*JO* du 6 septembre 1979).

— Circulaire DGS 782 PME 2 du 16 décembre 1975.

— *Les centres de placement familial agréés.* — Le centre de placement familial est un organisme groupant un certain nombre d'assistantes maternelles dans un secteur déterminé sous la surveillance d'une équipe médico-psycho-éducative.

Il est destiné à accueillir des enfants éloignés de leur famille en raison de difficultés d'ordre social, essentiellement dans le cadre de la protection sociale ou judiciaire de l'enfance, mais qu'il convient de maintenir en milieu naturel.

Les centres organisés par des associations privées sont agréés par le préfet du département.

Textes d'application. — Code de la Famille et de l'Aide sociale, titre II, articles 67, 97, 98.

Les foyers de l'enfance (du Service de l'Aide sociale à l'Enfance). — Le foyer de l'enfance est un établissement géré soit par le département, soit par le conseil d'administration d'un hôpital auquel il est rattaché (à partir de 1985 les foyers de l'enfance devront tous être autonomes). Il a pour objet l'accueil immédiat, la préobservation et l'orientation des mineurs admis dans le service départemental d'aide sociale à l'enfance, soit qu'ils aient été confiés à celui-ci par des parents en difficulté, soit qu'ils aient été remis à sa garde par l'autorité judiciaire, soit qu'ils aient été abandonnés ou se trouvent orphelins et sans famille. Il comprend obligatoirement une pouponnière pour l'accueil des jeunes enfants de 0 à 3 ans exclus.

Textes d'application. — Décret n° 59-100 du 7 janvier 1959 relatif à la protection sociale de l'enfance et de l'adolescence en danger modifié par le décret n° 75-1118 du 2 décembre 1975.

— Décret n° 59-101 du 7 janvier 1959 modifiant et complétant le Code de la Famille et de l'Aide sociale en ce qui concerne la protection de l'enfance — placement et surveillance (Code de la Famille, art. 66).

— Décret n° 62-1198 du 3 octobre 1962 (art. 7) modifié par décret n° 72-903 du 14 septembre 1972, art. 2.

— Décret n° 66-292 du 6 mai 1966 relatif à l'organisation financière de certains établissements à caractère sanitaire ou social gérés par les départements ou les communes.

— Loi du 4 juin 1970 relative à l'autorité parentale.

Les pouponnières. — La pouponnière est un établissement public géré par le département ou par la Commission administrative d'un hôpital, ayant pour objet de garder de jour et de nuit les enfants de moins de 3 ans accomplis qui ne peuvent ni rester au sein de leur famille, ni bénéficier d'un placement familial surveillé.

N'y sont admis que des enfants en bonne santé ou hypotrophiques, à l'exclusion des enfants atteints d'une maladie aiguë.

Doit être considérée comme pouponnière toute réunion chez une même personne, dans les conditions fixées au premier alinéa du présent article, de plus de trois enfants de moins de 3 ans étrangers à la famille.

La pouponnière peut être distincte d'un foyer de l'enfance, mais il est préférable qu'elle y soit incorporée.

Les pouponnières doivent être divisées en deux catégories :

1) Les pouponnières pour enfants normaux comprenant deux sections :

— l'une pour les enfants qui ne marchent pas encore;
— l'autre pour enfants plus âgés.

2) Les pouponnières pour enfants débiles :

La pouponnière pour enfants débiles est destinée à recevoir, à l'exclusion des enfants atteints d'une maladie caractérisée, des enfants appartenant à l'une des catégories suivantes :

a) Enfants hypotrophiques;
b) Enfants de taille et de poids inférieurs à 10 % ou plus au chiffre moyen de leur âge;
c) Enfants délicats, à croissance difficile, dont l'hygiène générale et le régime alimentaire exigent une surveillance particulière.

Les deux catégories de pouponnières peuvent, néanmoins, être réunies dans un même établissement, à condition que celui-ci comprenne, autant que possible, deux services distincts.

Textes d'application. — Pouponnière à caractère social :

— Décret n° 74-58 du 15 janvier 1974 relatif à la réglementation des pouponnières, crèches, consultations de protection infantile et des gouttes de lait (déjà cité).

— Arrêté du 28 janvier 1974 relatif à la réglementation des pouponnières, abrogeant les dispositions de l'arrêté du 18 avril 1951 modifié par l'article 5 de l'arrêté du 2 septembre 1964 modifié par l'arrêté du 5 avril 1976 (*JO* du 22 avril 1976).

Pouponnière à caractère sanitaire. — Décret n° 74-58 du 15 janvier 1974 (déjà cité) et arrêté du 28 janvier 1974 (déjà cité) modifiés par décret n° 76-92 du 27 janvier 1976 et décret n° 77-718 du 28 juin 1977 (*JO* du 6 juillet 1977).

Les garderies. Jardins d'enfants. — La garderie et le jardin d'enfants sont des établissements ayant pour objet de garder pendant la journée des enfants bien portants des deux sexes, de 3 à 6 ans et de leur donner les soins exigés par leur âge.

Le jardin d'enfants assure, en outre, le développement des capacités physiques et mentales des enfants par des exercices et des jeux.

Il peut recevoir des enfants à partir de deux ans lorsque ceux-ci paraissent aptes à bénéficier des méthodes appliquées dans cet établissement.

Textes d'application. — Ordonnance du 2 novembre 1945 sur la protection maternelle et infantile, article 31 notamment (article L 180 du Code de la Santé publique) modifiée par la loi n° 64-677 du 6 juillet 1964, art. 5-II.

— Décret n° 52-968 du 12 août 1952 relatif à la surveillance sanitaire des garderies.

— Arrêté du 12 août 1952 fixant les conditions et les modalités de la surveillance sanitaire des établissements dits garderies et jardins d'enfants, modifié par l'arrêté du 9 janvier 1974 sur le personnel des garderies et jardins d'enfants.

Les haltes-garderies. — La halte-garderie est un établissement ayant pour objet de recevoir pendant la journée, pour une durée limitée — quelques heures, demi-journée — et d'une façon occasionnelle, des enfants de 3 mois à 4 ans révolus, dont l'effectif ne peut dépasser vingt.

Textes d'application. — Arrêté du 26 février 1979 portant réglementation des haltes-garderies, abrogeant les dispositions de l'arrêté du 12 mars 1962.

— Circulaire 51 du 26 février 1979.

— Garderies périscolaires : circulaire 79 PME du 8 octobre 1979.

Les maisons d'enfants à caractère social. — La maison d'enfants à caractère social est un établissement géré le plus souvent par une association privée, une congrégation ou un organisme semi-public (Caisse d'Allocations familiales) destiné à accueillir, pour des séjours plus ou moins longs, allant du simple dépannage de quelques mois à toute la période de la minorité, les enfants dont les familles se trouvent en difficulté momentanée ou ne peuvent assumer l'éducation de l'enfant.

Les enfants leur sont confiés par les familles, par le Service d'Aide sociale à l'Enfance ou sous réserve que l'établissement ait été spécialement habilité par le juge des enfants.

Textes d'application. — Article 95 du Code de la Famille et de l'Aide sociale.

— Décret n° 59-1095 du 21 septembre 1959 portant en exécution des articles 800 du Code de Procédure pénale et 202 du Code de la Famille et de l'Aide sociale, règlement d'administration publique pour l'application de dispositions relatives à la protection de l'enfance et de l'adolescence en danger (ministère de la Justice, *JO* du 25 septembre 1959).

— Arrêté du 13 juillet 1960 relatif aux modalités d'habilitation et de contrôle des personnes privées, des services et établissements gérés par des œuvres privées chargées d'une manière habituelle de l'exécution des mesures d'assistance éducative prononcées en application des articles 375 à 382 du Code civil (*JO* du 29 juillet 1960) (et *ibid.*, Foyer de l'Enfance). Décret 62-1198 du 3 octobre 1962 (art. 7) modifié par décret 72-903 du 14 septembre 1972 (art. 2).

Les maisons maternelles. — La maison maternelle est un établissement public ou privé ayant pour objet d'héberger gratuitement et sans formalités, la femme enceinte d'au moins sept mois (ou de moins de sept mois si elle a réclamé le secret ou présenté un certificat d'indigence) et la mère avec son nouveau-né pour un séjour de trois mois ou plus, sauf prolongation exceptionnelle.

Textes d'application. — Article 41 du Code de la Famille et de l'Aide sociale (protection sociale de l'enfance : protection de la naissance, protection de la maternité).

Les hôtels maternels. — L'hôtel maternel est un établissement ayant pour objet d'accueillir en internat, pour une durée maximun de trois ans, la mère isolée avec son enfant, à la sortie de la maison maternelle, en vue de faciliter sa réinsertion sociale. La mère pouvant exercer une profession, l'enfant est gardé pendant les heures de travail de la mère à l'extérieur. Elle paie un prix de pension en rapport avec ses possibilités.

Textes d'application. — Circulaires des 2 janvier 1963 et 2 avril 1968.

BIBLIOGRAPHIE SOMMAIRE

Accueillir la petite enfance, par le GEDREM, Paris, ES, Syros, 1978.

ALFANDARI (Elie), *Aide sociale. Action sociale*, Précis Dalloz, 2ᵉ éd., 1977.

AUBRY (J.), *Carence en soins maternels*, PUF.

BENJAMIN (S.) et (R.), *Le jeune enfant et ses besoins fondamentaux*, CNAF, 1975.

BETTELHEIM (B.), *Dialogue avec les mères*, Paris, Laffont, 1962.

BIANCO (J.-L.) et LAMY (P.), *L'aide à l'Enfance demain. Etude RCB, Rapport et Annexes*, ministère de la Santé et de la Sécurité sociale, 1980.

BONETTI (M.), FRAISSE (J.) et de GAULEJAC, *De l'assistance publique aux assistances maternelles*, Paris, Ed. Germinal, 1980.

BOWLBY (J.), *Soins maternels et santé mentale*, OMS, Monographie nᵒ 2.

Brochure nᵒ 1208, recueil des textes officiels. *Crèches, pouponnières, garderies, jardins d'enfants, consultations prénatales et de nourrissons, haltes-garderies, assistantes maternelles*, Edition 1979, mise à jour au 18 janvier 1979.

BRUNET (O.) et LÉZINE (I.), *Développement psychologique de la première enfance*, PUF.

Cahier de recommandations. Les modes de garde des enfants de 0 à 3 ans, ESF, 1972.

CANLORBE et SHOLLER (R.), *Evaluation et représentation graphique de la croissance*, Encycl. méd. chir. pédiatrie, 26001, A 10.

CECCALDI (Dominique), *Les Institutions sanitaires et sociales*, Ed. Fousher, 7ᵉ éd., 1979.

Centre d'Etudes de Recherches de formations institutionnelles (CERFI), *Les gardes d'enfants de 0 à 3 ans comme surface d'inscription des relations entre la famille et le champ social.*

CNAF, *Le placement familial*, Informations sociales, sept. 1972.

DAVALLON (J.), *Les éducateurs de jeunes enfants*, Toulouse, Privat, 1978.

DAVID (M.), *L'enfant de 0 à 2 ans*, Ed. Mésope.

— *L'enfant de 2 à 6 ans*, Ed. Mésope.

— et APPEL (G.), *Loczy ou le maternage insolite*, Ed. Scarabée, 1973.

Etudes de carences affectives dans une pouponnière, *Psychiatrie de l'enfant*, PUF, 1967.

DAVIDSON (F.) et MAGUIN (P.), *Les crèches*, Paris, ESF, 1976.

DEBRÉ (R.) et DOUMIC (A.), *Le sommeil de l'enfant*, PUF.

— et LELONG (M.), Croissance somatique normale. *Pédiatrie*, t. 2, Flammarion.

DELAISY DE PARSEVAL (G.) et LALLEMAND (S.), *L'art d'accommoder les bébés*, Paris, Seuil, 1980.

DESIGAUX (J.), *Les mini-crèches roannaises. Phénomène social*, Roanne, Ed. Horvath, 1979.

— et THÉVENET (A.), *Les assistantes maternelles*, Ed. ESF, 1980.

DUPONT-FAUVILLE, *Rapport pour une réforme de l'aide sociale à l'enfance*, ESF, 1973.

FUSTIER (P.), *L'identité de l'éducateur spécialisé*, Paris, Ed. Universitaires, 1972.

HASSOUN (J.), *Entre la mort et la famille, l'espace-crèche*, Paris, Maspero, 1973.

KOUPERNICK (G.), *Développement psychomoteur du premier âge*, PUF.

La carence en soins maternels, Réévaluation de ses effets, *Cahier de la santé*, n° 14, Librairie Arnette.

La Famille. Commissariat général au Plan, Paris, Hachette, 1975 (coll. « Vivre Demain »).

LAMBERT (R.), *Les vaccinations. Comment ? Pourquoi ?*, Paris, Ed. Cogito, 1975.

LARRIVE (H.), *Les crèches. Des enfants à la consigne ?*, Paris, Seuil, 1978.

LÉVY (J.), *L'éveil du tout-petit*, Paris, Ed. Seuil, 1972.

LÉZINE (I.), *Propos sur le jeune enfant*, Ed. Mame, 1974.

MANDE (R.), MANCIAUX (M.), MASSE (N.), *Manuel de Pédiatrie sociale*, Masson, 2e éd., 1976.

MEYER (P.), *L'enfant et la raison d'Etat*, Paris, Seuil, 1977.

Ministère de la Santé, *Guide de programmation. Les crèches collectives et familiales*, Imprimerie Nationale, 1975.

MOZÈRE (L.) et AUBERT (G.), *Babillages*, Fontenay-sous-Bois, Ed. Recherches, 1977.

MOZZICONACCI (P.), *L'hygiène alimentaire de l'enfant*, Ed. Le François, 1969.

Organisation mondiale de la santé, Les soins aux enfants dans les crèches. *Cahier de la Santé*, n° 24. Libr. Arnette.

Psychologues du Service de PMI de la Seine, Rôle des psychologues dans les Services de PMI, *Revue Enfance*, n° 5, 1967.

Quel travailleur social pour une prévention globale du jeune enfant ? Rencontres, *Cahiers du Travailleur social*, 26, été 1978.

Rapport technique, n° 256, 1963, Soins aux enfants dans les crèches et autres institutions.

ROBERTSON (J.), *Jeunes enfants à l'hôpital*, Paris, Centurion, 1972.

Séminaire sur les Crèches, Edition du Centre international de l'Enfance, 1961.

Séminaire du Centre international de l'Enfance : La garde des enfants dont les parents travaillent, décembre 1973.

SEMPE (M.) et MASSE (N.), *La croissance normale*, Expansion scientifique française.

SOULÉ (M.), La carence en soins maternels dans l'enfance. La frustration précoce et ses effets cliniques, *Psychiatrie de l'enfant*, 1963, I, fasc. 2.

— et NOËL (J.), BOUCHARS (F.), *Le placement familial*, ESF.

STRAUSS (P.), Monographie sur l'hospitalisation des enfants, *Bulletin INH*, n° 23.

SULLEROT (E.), *Les crèches*, Paris, Hachette, Littérature, 1974.

— et SALTIEL (M.), *Les crèches et les équipements d'accueil de la petite enfance*, Paris, Hachette, 1974.

— *Rapport au Conseil économique et social*, Editions du Journal officiel, mars 1981.

THÉVENET (A.), *L'aide sociale d'aujourd'hui*, Ed. ESF, 4e éd., 1980.

— *L'aide sociale en France*, 3e éd., 1980 (« Que sais-je ? », n° 1512).

— et DÉSIGAUX (J.), *Faire garder son enfant, les assistances maternelles*, 2e éd., 1980, Paris ESF.

VERDIER (P.), *L'enfant en miettes*, Toulouse, Privat, 1978.

WINNICOTT (D. W.), *L'enfant et sa famille : les premières relations*, Paris, Payot.

XXIVe Congrès des Pédiatres de Langue française, *Expansion scientifique*, 1975.

TABLE DES MATIÈRES

Imprimé en France
Imprimerie des Presses Universitaires de France
73, avenue Ronsard, 41100 Vendôme
Août 1982 — N° 28 174